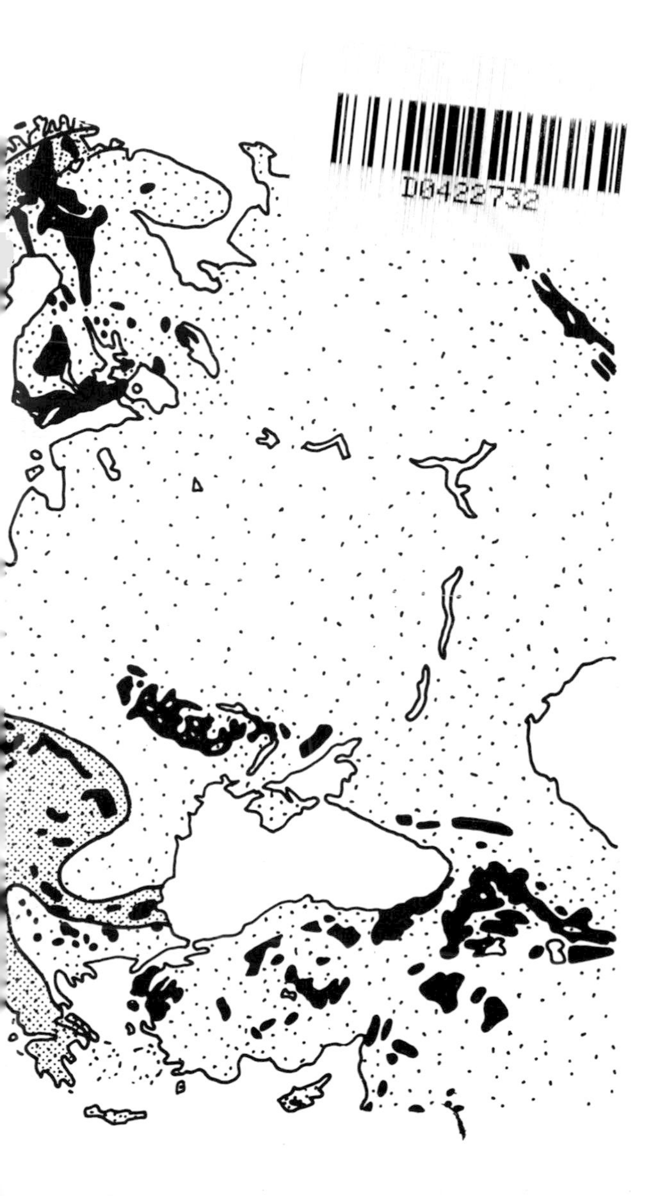

ROCHES ET MINÉRAUX

Eva Fejer et Steve Frampton
Cecilia Fitzsimons

Adaptation française de
Martine Richebé

GRÜND

Texte original de Eva Fejer et Steve Frampton
Adaptation française de Martine Richebé

Première édition française 1989 par Librairie Gründ, Paris

ISBN : 2-7000-1914-8
Dépôt légal : mai 1989
Édition originale 1989 par Atlantis Publications Ltd

Photocomposition : A.P.S., Tours
Imprimé en Espagne

Sommaire

Introduction

Ce livre s'adresse à ceux qui souhaitent identifier les roches et minéraux qui les entourent – matériaux mis à nu dans les carrières, vallées, chantiers ou tout simplement la pierre dont est faite leur maison et les minéraux qui la composent. À ceux aussi qui, ayant ramassé des fragments de cristaux ou de minéraux sur une plage, un ancien crassier de mine ou le terrain dont ils sont propriétaires, aimeraient en connaître la nature.

Vous êtes nombreux à ne pouvoir, faute de temps, vous lancer dans une étude approfondie des roches et minéraux, bien que ce sujet vous intéresse. Le but de cet ouvrage est de vous présenter de façon simple et attrayante ceux que l'on rencontre le plus souvent. Plus de 2000 minéraux ont été recensés jusqu'ici. Nous n'avons retenu que les plus courants, et utilisé, pour les désigner, les noms figurant dans les ouvrages de référence. Quand un minéral a reçu une autre appellation en tant que pierre fine, ce deuxième nom est également cité.

Classement des roches et minéraux

Ce livre comprend deux parties : la première est consacrée aux roches, la seconde aux minéraux.

- Les roches sont classées suivant leur mode de formation en roches *sédimentaires*, *ignées* et *métamorphiques*.
- Les minéraux sont présentés par ordre croissant de *dureté* (caractère constant, contrairement à la couleur).

Remarque : vous trouverez dans le Glossaire (p. 14-15) et les planches descriptives des divers faciès de minéraux et types de cristaux (p. 126-127) l'explication des termes techniques figurant inévitablement dans les descriptions des roches et minéraux.

Méthode d'identification

Apprenez tout d'abord à distinguer une roche d'un minéral. Les roches sont composées de minéraux. Par conséquent toute pierre d'une taille respectable ramassée sur un talus ou dans une carrière est une roche. Mais si vous observez les constituants de cette roche ou un groupe de cristaux bien distincts, vous êtes en présence d'un minéral.

Roches

Reportez-vous à la carte représentant la répartition géographique de chaque type de roche (p. 1-2) et au schéma illustrant leur répartition géologique (p. 13).

Les roches sédimentaires résultent de l'accumulation et de la compression de couches successives de débris de roches existantes. Elles présentent souvent un aspect lité ou stratifié et renferment parfois des restes organiques. Elles peuvent être tendres (argiles) ou dures (calcaires). Les grès (p. 18) forment des strates massives et étendues, les argiles schisteuses (p. 19) des couches fines et resserrées. Leur grain peut être fin (craie, p. 20), moyen (grès) à grossier (conglomérats, p. 16).

Les roches ignées résultent de la cristallisation de magma soit à la surface du globe (roches « extrusives »), soit en profondeur (roches « intrusives »); dans ce dernier cas, le magma comprimé s'infiltre dans des fissures rocheuses, faisant « intrusion » dans des couches plus anciennes. Les minéraux composant les roches ignées sont entièrement cristallisés, bien que les cristaux ne soient pas toujours visibles à l'œil nu. Ces roches peuvent présenter une texture homogène à grain fin (basaltes, p. 35) ou irrégulière à grain grossier (granite, p. 28).

Les roches métamorphiques résultent de la transformation de roches existantes sous l'influence de pressions et températures élevées. Ces modifications de structure peuvent avoir lieu durant la formation des reliefs qui implique d'intenses déformations et dislocations de la croûte terrestre (métamorphisme régional) ou lors d'une entrée en contact avec des remontées magmatiques (métamorphisme de contact). Les roches d'origine peuvent être sédimentaires, ignées ou déjà métamorphiques. Les roches métamorphiques, entièrement cristallines, présentent une large variété de structures et textures.

Minéraux

Les minéraux présentés dans ce livre ont été répartis en cinq groupes, par ordre croissant de dureté. Un symbole (voir p. 10) permet d'identifier rapidement chacun de ces groupes. La dureté d'un minéral se définit par sa résistance à l'éraflure et se mesure en référence à l'échelle de Mohs (p. 10).

Les dix minéraux-types de cette échelle sont classés du plus tendre au plus dur, chacun pouvant rayer celui qui le précède et être rayé par le suivant. Les minéraux de dureté inférieure à 2 sont rayables à l'ongle, donc très tendres; ceux de dureté 2-3 peuvent être rayés avec une pièce de cuivre; ceux de dureté 3-6 sont rayés avec une lame d'acier. Les minéraux de dureté 6-7 ne raient pas le verre, contrairement à ceux de dureté supérieure à 7. L'échelle de Mohs est reproduite ci-dessous ainsi que la liste des symboles graphiques (Fig. 1) définissant les cinq sous-groupes de dureté adoptés dans ce livre pour la présentation des minéraux.

ÉCHELLE DE MOHS

1. Talc (le plus tendre) – p. 46
2. Gypse – p. 52
3. Calcite – p. 71
4. Fluorite – p. 85
5. Apatite – p. 90
6. Orthose – p. 96
7. Quartz – p. 110
8. Topaze – p. 118
9. Corindon – p. 119
10. Diamant (le plus dur) – p. 120

FIG. 1 SYMBOLES DE DURETÉ

Dureté inférieure ou égale à 2

Minéraux rayables à l'ongle.

Dureté 2-3

Minéraux rayables avec une pièce en cuivre et pouvant rayer un ongle.

Dureté 3-6

Minéraux rayables avec une lame d'acier et pouvant rayer ongles et pièces en cuivre.

Dureté 6-7

Minéraux ne pouvant rayer le verre, mais rayant l'acier, le cuivre et les ongles.

Dureté 7-10

Minéraux rayant le verre et tous les matériaux précédents.

DENSITÉ

La densité d'un minéral est également un bon critère d'identification. On entend par densité ou poids spécifique (P. S.) le poids d'un corps par rapport au poids d'un même volume d'eau (P. S. de l'eau = 1). La densité moyenne de tous les minéraux connus est de 2,7. Les minéraux dont le P. S. est compris entre 1,5 et 2,9 paraissent légers quand on les soupèse; ceux de P. S. compris entre 3 et 3,9 semblent modérément lourds; ceux de P. S. compris entre 4 et 6 semblent lourds et ceux de P. S. supérieur à 6 très lourds. Avec un peu d'habitude, ce peut être un bon moyen de reconnaissance sur le terrain, à condition toutefois que les échantillons prélevés soient purs.

Comment utiliser ce livre

Quand vous aurez déterminé la nature du matériau observé (roche ou minéral), feuilletez ce guide. Les illustrations faciliteront dans un premier temps vos recherches. Passez ensuite à la lecture des textes mis en évidence dans quatre encadrés : les deux premiers décrivent aspects, associations et propriétés physiques de la roche ou du minéral concerné(e); le troisième ses mode de formation et gisements; le dernier les principaux critères de distinction par rapport aux roches et minéraux voisins et quelques utilisations commerciales.

Fig. 2 LECTURE D'UNE PAGE (MINÉRAL)

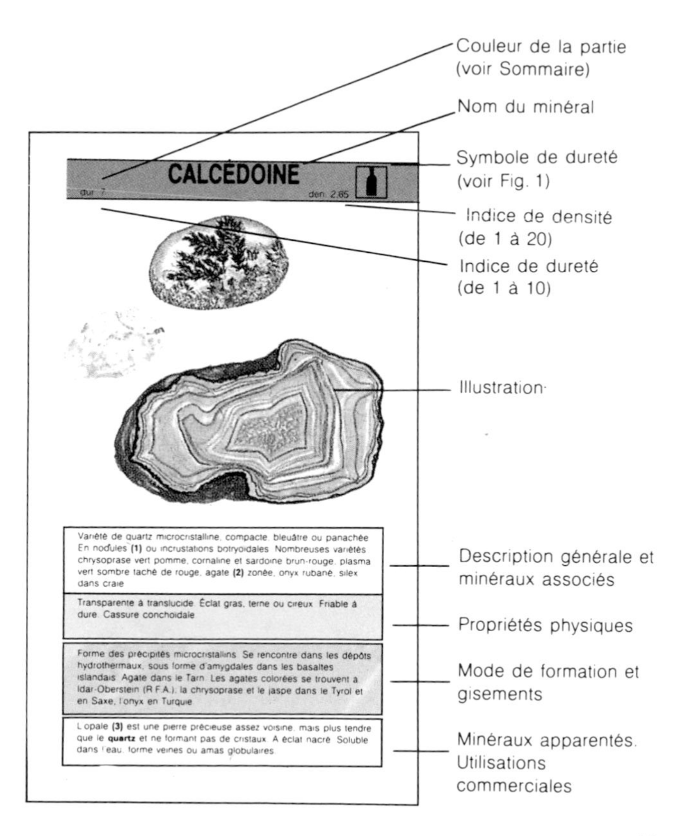

DESCRIPTION. PROPRIÉTÉS PHYSIQUES

Roches : le premier encadré vous renseigne sur leur couleur et composition minéralogique, la présence éventuelle de fossiles; le second sur leur structure, texture, éclat, etc.

Minéraux : les diverses couleurs et formes que peuvent revêtir les minéraux sont décrits dans le premier encadré, où sont également énumérés les minéraux qui leur sont associés. Ces associations sont souvent caractéristiques. La forme d'un minéral peut varier du cristal isolé à l'agrégat massif (les divers types de cristaux et d'agrégats sont illustrés en fin d'ouvrage, p. 126-127).

Le second encadré précise les propriétés physiques utilisées comme critères d'identification des minéraux. Pour l'explication des termes techniques, reportez-vous au Glossaire (p. 14-15).

MODE DE FORMATION ET GISEMENTS

Le mode de formation de la roche ou du minéral est présenté dans le troisième encadré, où sont également énumérés quelques lieux de gisement. Vous trouverez p. 124 la liste des pays et régions cités en abrégé dans le texte.

ROCHES ET MINÉRAUX VOISINS

Le quatrième encadré renferme, selon le cas, diverses informations : vous y trouverez les roches ou minéraux d'aspect similaire pouvant prêter à confusion; ou bien les minéraux ressemblant davantage au minéral étudié par la structure interne que par l'aspect externe; et enfin quelques utilisations commerciales.

ROCHES ET MINÉRAUX MOINS COURANTS

Pour ces derniers, texte et illustrations ont été regroupés sur une même page à la fin de chaque partie.

RÉPARTITION GÉOLOGIQUE DES ROCHES

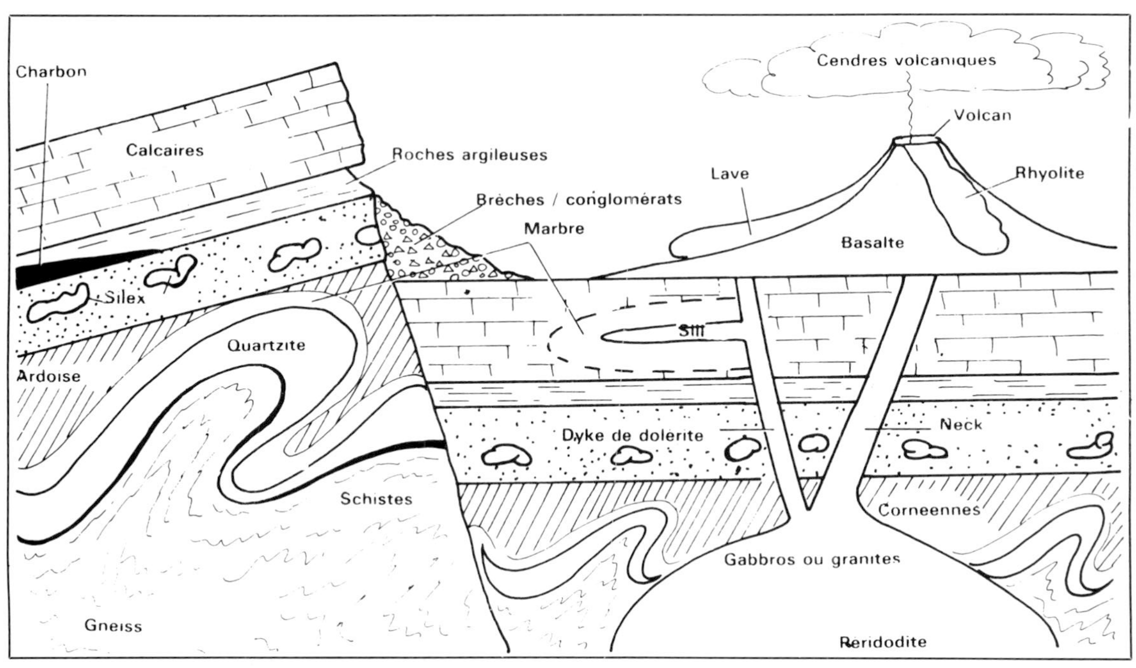

Glossaire

Accessoires (Minéraux) Minéraux entrant nécessairement, mais en faible quantité, dans la composition d'une roche.
Adamantin (Éclat) Éclat rappelant celui du diamant.
Altération (Produit d') Matériau résultant d'une altération physique, chimique ou de la diagenèse.
Amas Intrusion de roches ignées moins massive qu'un batholite.
Amygdale Cavité d'une roche volcanique formée par une bulle de gaz et remplie par la suite de minéraux secondaires.
Auréole de contact Zone rocheuse entourant une intrusion magmatique et subissant un métamorphisme thermique (de contact).
Basique (Roche) Roche contenant peu de silice (de 40 à 55 %).
Batholite Intrusion massive de roches ignées coupant transversalement les terrains encaissants.
Cassure Rupture d'un minéral selon des surfaces autres que planes. Peut être conchoïdale (en forme de coquillage); esquilleuse (à bords déchiquetés); fibreuse (à bords filamenteux); terreuse (argile); ou irrégulière (quelconque).
Chloritoschiste Schiste formé le plus souvent de quartz, feldspath, mica, talc, magnétite.
Clivage Division naturelle d'un minéral selon un ou plusieurs plans privilégiés liés à sa structure atomique. L'angle formé par les plans de clivage est souvent déterminant.
Concrétion Concentration minérale souvent sphérique enchâssée dans une roche sédimentaire de même composition mais moins dense.
Diaclases Fissures entraînant la séparation des roches sédimentaires en blocs.
Diagenèse Ensemble des phénomènes assurant la transformation d'une roche sédimentaire meuble en roche cohérente.
Discordances stratigraphiques Couches sédimentaires plissées ou basculées surmontées de couches horizontales.
Double réfraction Faculté que possède un cristal de dévier les rayons lumineux dans deux directions, l'image vue à travers ce cristal étant alors dédoublée.
Druse Fente ou surface rocheuse tapissée de cristaux.
Dyke Intrusion verticale de roches ignées recoupant des couches rocheuses plus anciennes.
Érosion différentielle Mise en relief de certaines roches plus résistantes.
Faciès (ou «habitus») Aspect extérieur d'un minéral.
Filon Fente ou fissure rocheuse remplie d'une roche ou d'un minéral d'une espèce différente.
Fluidale (Texture) Les cristaux sont alignés dans le sens d'écoulement initial du magma (roches ignées).
Gangue Substance stérile dans un filon de minéraux utiles.
Géode Masse pierreuse sphérique ou ovoïde possédant une cavité interne tapissée de cristaux.
Granoblastique (Texture) À grains de même dimension.
Hydrothermal Qualifie un phénomène ou son résultat, provoqués par une

circulation d'eau chaude liée à une activité magmatique ou volcanique.

Intrusions Remontées de magma dans les couches supérieures de l'écorce terrestre où il cristallise sous forme de roches ignées.

Lave « en coussins » (pillow-lava) Lave émise sous l'eau et modelée en forme de coussins.

Lité Qualifie une roche faite de couches minces superposées.

Lits Couches rocheuses d'une épaisseur inférieure à 1 cm.

Macle Association de deux ou plusieurs cristaux de même espèce, soit par simple contact, soit par interpénétration.

Matrice Matière minérale à grain assez fin cimentant entre eux des éléments plus grossiers.

Métamorphisme de contact Processus de transformation thermique de roches entrant en contact avec des remontées magmatiques.

Métamorphisme régional Processus de transformation mécanique de roches lié à la formation des montagnes.

Minerai Minéral ayant une teneur exploitable en un métal donné.

Neck Ancienne cheminée volcanique remplie de magma solidifié mise en relief par l'érosion.

Nodule Petite concrétion minérale ou rocheuse de forme grossièrement arrondie, située dans une roche de nature différente.

Orbiculaire (Structure) En boules faites de cristallisations concentriques autour de germes.

Pegmatite Roche plutonique à grain grossier, de composition similaire à celle du granite.

Phénocristaux Gros cristaux enchâssés dans une matrice à grain fin.

Pisolithique Formé de grains sphériques de la taille d'un pois.

Placers Gisements de minéraux lourds (or, platine, pierres précieuses) concentrés dans des alluvions fluviatiles ou marins.

Plutoniques (Roches) Roches ignées à grain souvent grossier, formées à de grandes profondeurs.

Porphyrique Qualifie une texture de roche ignée faite de gros cristaux enchâssés dans une matrice microcristalline ou vitreuse.

Poudingue Roche résultant de la cimentation naturelle de cailloux ou fragments déposés à l'état meuble.

Schistosité État d'une roche divisible en feuillets minces.

Secondaires (Minéraux) Issus de l'altération de minéraux existants.

Sill Intrusion magmatique horizontale entre des couches rocheuses plus anciennes.

Strate Couche de terrain sédimentaire d'épaisseur supérieure à 1 cm.

Stratification de courant Couches sédimentaires inclinées dans le sens d'écoulement du vent ou de l'eau.

Substitution (Gisements de) Issus de l'altération de roches existantes.

Talcschiste Schiste riche en talc.

Trace Couleur de la poudre obtenue en frottant un minéral sur une plaquette de porcelaine brute.

Ultrabasique (Roche) Roche riche en minéraux ferreux et pauvre en silice.

Veine Gisement de minéraux recoupant plus ou moins verticalement les roches environnantes.

Vésicule Cavité formée par une bulle de gaz dans une roche ignée.

Zone d'oxydation Partie supérieure d'un gisement ayant subi l'action de l'eau, de l'oxygène et de l'acide carbonique.

CONGLOMÉRATS

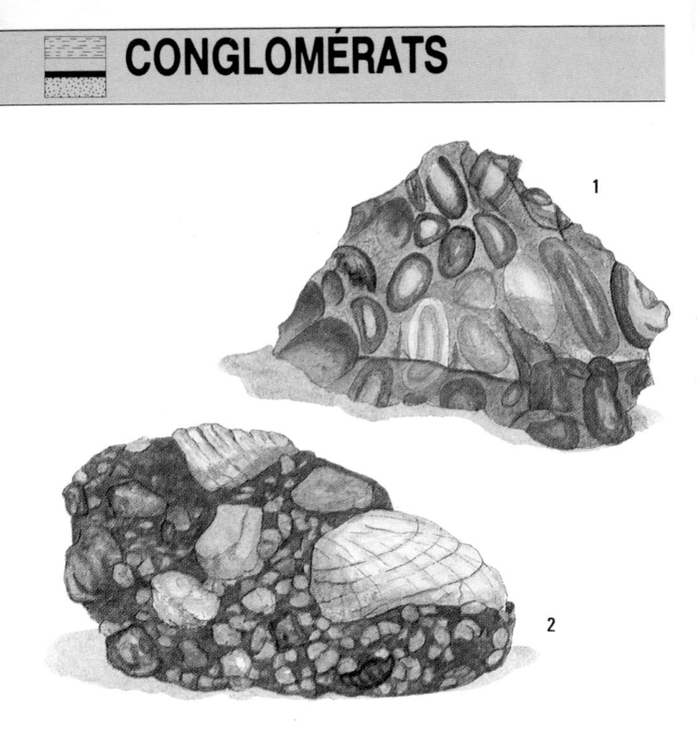

De teinte variable. Composés de fragments arrondis (galets) de quartz, silex **(1)** et autres roches pris dans un ciment calcaire ou siliceux pouvant contenir de l'oxyde de fer. Dans le cas de la tillite **(2)**, ce ciment est argileux.

Roches dures, résistantes, manquant parfois d'homogénéité. Texture grossière. Galets souvent alignés dans une même direction; striés et de tailles variées dans la tillite.

Issus de dépôts marins et fluviatiles amenés par de forts courants. Se rencontrent souvent au-dessus de discordances stratigraphiques. Nombreux poudingues dans le sud de l'Angleterre et à Lucerne (Suisse). Tillites abondantes dans le nord de l'Europe. Les autres types de conglomérats sont courants.

Les poudingues renferment des galets arrondis, les **brèches** des fragments anguleux, les tillites un mélange des deux. Les **grès** sont moins grossiers.

De couleur variable. Composées de fragments anguleux de divers types de roches pris dans une matrice à grain fin ou moyen pouvant être à base de silice, calcite, argile ou limonite.

Plus ou moins dures selon la nature des débris et de leur liant. De texture grossière quand les fragments les plus gros ont éclaté en périphérie. Rarement stratifiées ou fossilifères.

Issues d'éboulis de pente ou de matériaux accumulés lors de glissements de terrain; de la fracturation de l'écorce terrestre pour les brèches tectoniques. À éléments anguleux, car se formant non loin du lieu de désagrégation des roches d'origine. Communes en Europe, dans les régions calcaires.

Fragments anguleux caractéristiques, souvent du même type de roche. Aucun élément volcanique, contrairement aux **arkoses.** Usage limité car friable : construction, dallages.

GRÈS

Gris, bruns, teintés de jaune, rouge ou vert. Formés de grains de quartz anguleux ou arrondis liés par divers ciments : silice, calcite, hématite (grès ferrugineux, **1**), limonite (grès de construction) ou glauconie (grès vert ou glauconieux, **2**). Renferment parfois des fossiles.

De dureté variable. Élevée si la matrice est siliceuse. En escarpements rocheux proéminents avec stratification et rides de courant souvent visibles. Texture régulière. Poreux.

Consolidés à partir de sédiments déposés en eaux peu profondes ou de sables désertiques. Communs en Europe : quartzite de Fontainebleau, molasse alpine (Suisse, Italie du Nord), grès glauconieux (pays de Galles; Scandinavie), arkose (Vosges), grauwacke (vallée du Rhin; nord des Apennins, Italie).

L'arkose **(3)** est riche en feldspath. La grauwacke **(4)**, grès impur, renferme divers matériaux rocheux. Le **quartzite** contient 95 % de quartz. Réservoirs naturels d'hydrocarbures; pierre à bâtir.

ROCHES ARGILEUSES

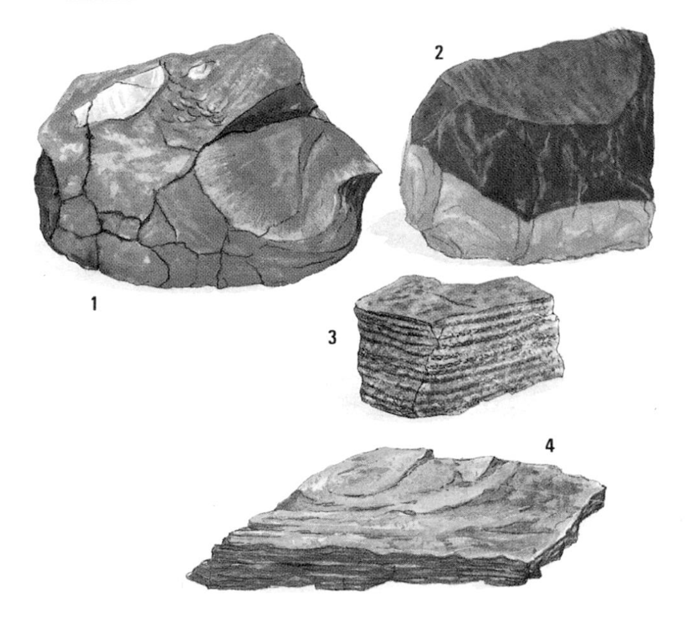

Grises, brunes, rougeâtres, jaune pâle ou vert foncé, selon leur teneur en oxydes de fer et/ou matières organiques. De grain extrêmement fin pour les argiles tendres ou les argilites dures, sableux pour les limons. Minéraux associés : un peu de quartz, feldspath et mica.

Compactes, massives ou finement litées. Fossiles, rides de courant, fentes de dessication (comme sur les plages à marée basse). Argiles : tendres, plastiques; argilites : dures, fragiles à l'état humide.

Formées à partir de sédiments marins, lacustres ou fluviaux : les limons gréseux en eaux moins profondes que les argiles schisteuses. Accompagnent grès et calcaires. Très répandues : l'argile schisteuse du Kupferschiefer se rencontre de la Pologne à l'Angleterre; marnes du Bassin piémontais tertiaire (Italie).

L'argile **(1)** est plastique. La marne **(2)** renferme souvent pyrite, gypse et calcite. Les limons **(3)** sont gréseux, les argiles schisteuses **(4)** feuilletées, les argilites dures et massives.

CALCAIRES COMPACTS

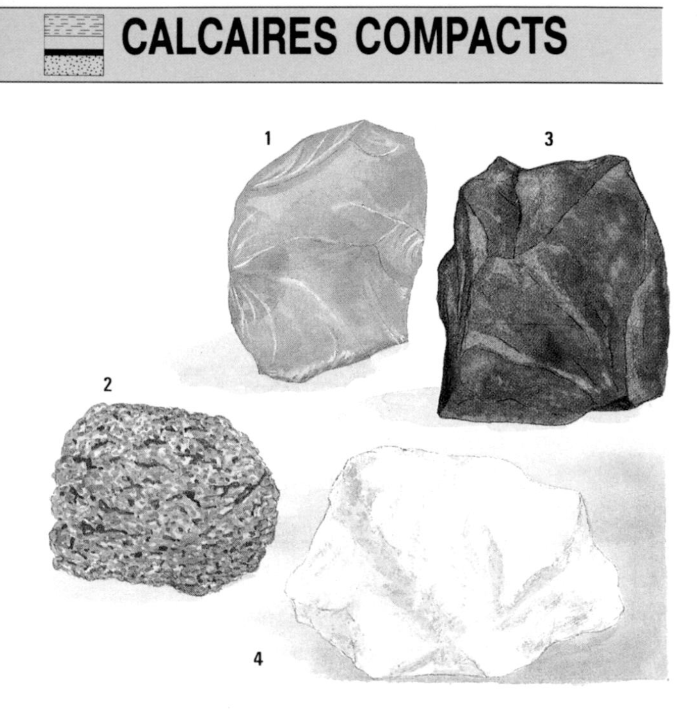

Blancs, gris ou ocre-jaune, parfois tachés de noir, brun ou rouille selon les impuretés qu'ils renferment (oxydes de fer, quartz, argile). Constitués de calcite et/ou d'aragonite, parfois de dolomite. Minéraux accessoires : silice, hématite, limonite ou autres. Fossiles rares.

Roches massives à grain fin et serré. Stratification massive. Cassure irrégulière. Font effervescence à froid avec l'acide chlorhydrique. Précipitées par l'eau en dépôts, concrétions.

Les calcaires lithographiques sont d'origine détritique (Solenhofen, Bavière). Tufs et travertins sont des dépôts de sources pétrifiantes (Tivoli, Italie). La dolomie apparaît après l'érosion différentielle de la calcite par rapport à la dolomite (Dolomites, Italie). La craie est issue de dépôts marins (nord de la France, Angleterre).

Le calcaire lithographique **(1)** est fin, le travertin **(2)** spongieux. La dolomie **(3)** réagit peu avec l'acide chlorhydrique à froid. La craie **(4)** est un calcaire très pur, non lité.

AUTRES CALCAIRES

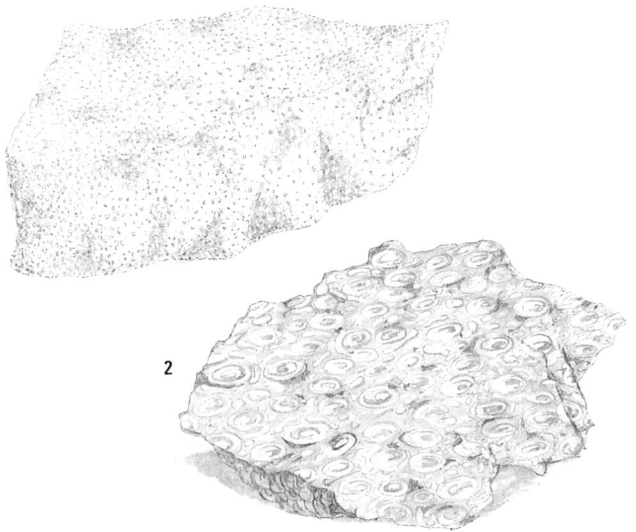

Blancs, jaunes ou bruns. Habituellement composés de calcite et/ou d'aragonite, mais aussi de dolomite, d'hématite et de silice. Formés de grains sphériques liés par un ciment calcaire, les oolithes **(1)** de 1-2 mm de diamètre ayant la taille d'œufs de poisson, les pisolithes **(2)** celle de petits pois.

Roches massives, relativement tendres, faisant effervescence à froid avec l'acide chlorhydrique dilué. Présentent souvent une stratification due au courant. Renferment parfois des fossiles.

Se forment par dépôts concentriques de calcite autour de grains de quartz et fragments de coquilles roulés sur le fond de mers chaudes peu profondes (bancs des Bahamas) ou dans les sources chaudes (Vichy ; Karlovy Vary, République tchèque). Se transforment en d'autres types de calcaires et grès.

Se distinguent des autres calcaires par la taille de leurs grains. Les **grès** ne font pas effervescence avec l'acide chlorhydrique. Prisés comme pierres de construction.

CALCAIRES FOSSILIFÈRES

Blancs, gris ou jaunes; brunâtres quand ils sont impurs. Composés de nombreux fragments de fossiles de même formation enchâssés dans une matrice calcaire à grain fin. Minéraux essentiels : calcite et aragonite, issus des fossiles. Minéraux accessoires : silice, pyrite, dolomite, bitume.

De dureté variable. Friables lorsqu'ils sont altérés. Souvent stratifiés. Parfois, de larges récifs ont été préservés. Réagissent avec l'acide chlorhydrique dilué.

Issus de l'accumulation de squelettes calcaires d'organismes coralliens dans des eaux claires peu profondes. En couches alternant avec d'autres calcaires, grès, argiles. Abondants en Carinthie (Autriche); Branzi, Pergame (Italie); dans les terrains permiens du Tyrol italien et calcaires du Carbonifère.

Se distinguent des autres types de calcaires par le nombre important de fragments de fossiles qu'ils renferment. Bonne source de coquillages fossilisés.

1

3

2

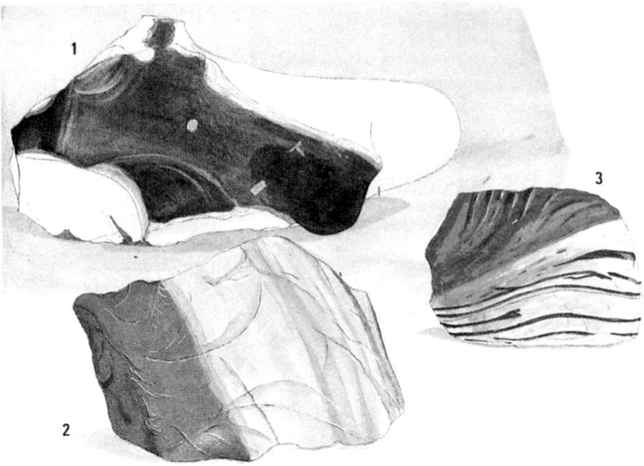

Blancs, gris terne à noirs **(1)**, jaunes ou bruns **(2)**, verts ou rouges pour les variétés de jaspe **(3)**. Se présentent sous forme de nodules dans la craie ou de masses disposées en lits alternés pouvant atteindre 270 m d'épaisseur.

Texture dense, grossière sur les faces altérées. Très durs et résistants. Cassure conchoïdale. Plus résistants à l'érosion que les roches environnantes, nodules et masses font saillie.

Certains silex peuvent provenir de dépôts de silice en eau marine non loin de régions volcaniques. D'autres de la compression et cristallisation de restes végétaux et animaux. Dans le bois fossile, il y a eu remplacement progressif des cellules par la silice des eaux d'infiltration.

Se distinguent par leur dureté et leur résistance. Ces propriétés ont été mises à profit par l'homme préhistorique pour la confection d'armes et outils.

CHARBONS

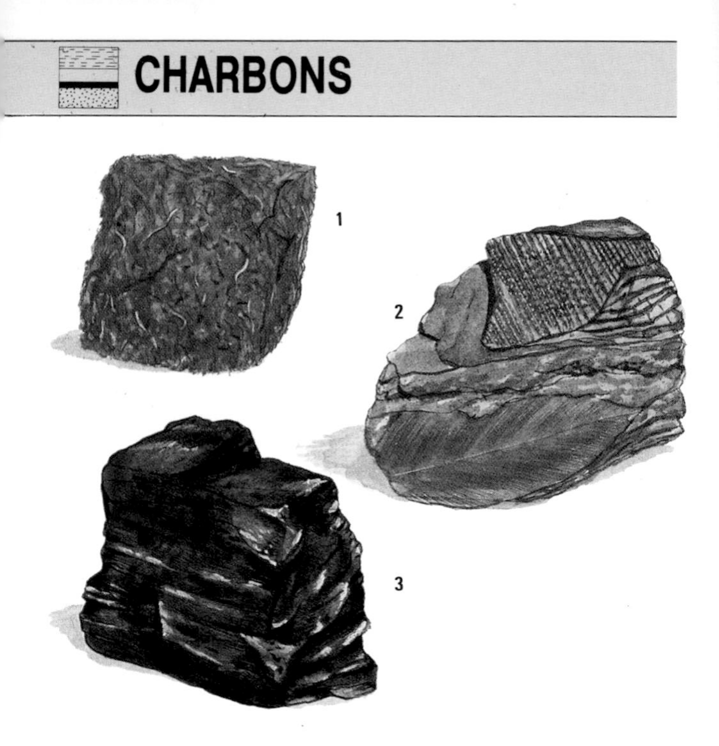

De couleur brune (tourbe, **1**), brun chocolat (lignite, **2**), noire (charbon bitumineux, anthracite, **3**). Roches poreuses, ligneuses, massives ou finement litées selon la variété. Constituant essentiel : le carbone, associé à de l'oxygène, de l'hydrogène et du soufre. En couches.

Éclat terne (tourbe, lignite) à brillant, vitreux (anthracite). Légers. Cassure esquilleuse à conchoïdale. Végétaux fossiles parfois visibles dans certaines variétés.

Issus de la transformation de débris sous l'action de pressions et températures élevées, avec enrichissement en carbone. L'anthracite (charbon de qualité supérieure) date exclusivement du Carbonifère. Est exploité en France, Belgique, Allemagne. La tourbe abonde en Irlande, Allemagne, Pologne et au Danemark.

Important combustible minéral, employé jusqu'à ces dernières années pour le chauffage domestique. Sert de nos jours à la fabrication de l'acier, du caoutchouc et des teintures.

ROCHES FERRUGINEUSES

Brunes, rouges, vertes, jaunes ou noirâtres. Ce sont des roches sédimentaires renfermant au moins 15 % de minerai de fer sous forme d'hématite, de limonite, pyrite, magnétite, sidérite, chamosite ou glauconite. Minéraux associés : calcite, dolomite et silice.

D'un grain et d'une dureté variables. Très durs ou friables selon les gisements. Litage fin ou grossier, stratification de courant fréquente, parfois oolithiques. Restes organiques communs.

Se forment par précipitation en eaux peu profondes. En strates alternant avec des strates de roches siliceuses, calcaires ou de grès. On trouve des roches ferrugineuses sédimentaires en France (« minette » de Lorraine) ; au Luxembourg ; en Westphalie (Allemagne) et Sardaigne (Italie).

De nombreux gisements de roches ferrugineuses sont exploités en vue de l'extraction du fer.

BAUXITE

Variant du blanc au jaune quand elle est pure, rouge, brune ou grise dans le cas contraire. Mélange d'hydrates d'alumine, comme la gibbsite, la boehmite, le diaspore et d'oxydes comme le corindon. Renferme accessoirement des oxydes de fer et du bitume.

Très tendre. En agrégats terreux, argileux, fragiles. À structure parfois oolithique ou pisolithique, avec concrétions brunes soudées par une matrice jaune ou grise.

Dépôt résiduel se formant dans des conditions tropicales par altération et lessivage de roches riches en aluminium (magmatiques). Avec concentration d'alumine après élimination de la silice et des carbonates. Gisements : Bouches-du-Rhône, Var, Hérault, Ariège ; Italie ; Naxos (Grèce) ; ex-Yougoslavie, Hongrie et Oural.

Identifiable à sa structure pisolithique, sa faible dureté et sa teneur élevée en aluminium. Les **calcaires** réagissent avec l'acide chlorhydrique. Les **grès** renferment du quartz.

ROCHES VOLCANIQUES

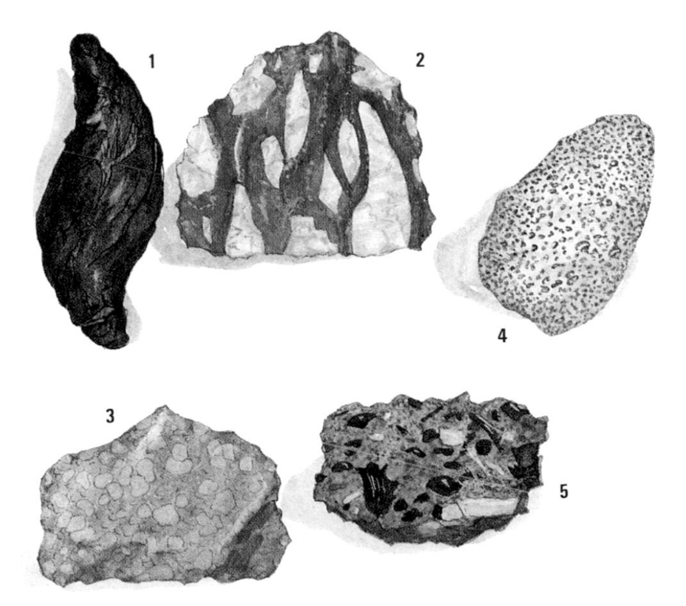

Bombes (1)
Mottes de lave brun foncé, vertes ou noires modelées et durcies durant leur retombée.

Brèches (2)
Faites de bombes et autres fragments rocheux anguleux liés par des poussières volcaniques.

Tufs (3)
Consolidés à partir de fines poussières volcaniques emportées par le vent. Souvent lités ou renfermant des grains vitreux de la taille d'un pois. Puy-de-Dôme, Vésuve (Italie) ; Grèce ; Turquie ; Allemagne.

Pierre ponce (4)
Blanche à grise, vésiculaire. Issue d'une lave riche en gaz (écume) rapidement refroidie, éjectée de volcans immergés ou proches de plans d'eau. Très légère, flotte. Puy-de-Dôme, îles Lipari, Italie et Islande. Utilisée comme abrasif doux et isolant.

Ignimbrites (5)
Gris clair à brunes. Issues d'un magma visqueux très fluide et riche en gaz. Faites de fragments de ponce compressés enchâssés dans une matrice vitreuse. Engendrées par des éruptions exceptionnelles (Mont-Dore et sa nappe d'ignimbrites). Pierre à bâtir.

GRANITE

Blanc, gris ou rosâtre selon l'importance des feldspaths par rapport aux minéraux sombres. Feldspaths potassiques et quartz entrent pour 70 % dans sa composition. Minéraux accessoires : mica, hornblende, apatite, topaze, grenat, hématite, zircon et magnétite.

De grain assez grossier, avec phénocristaux feldspathiques souvent maclés.Le granite graphique se distingue par l'interpénétration de cristaux de quartz et de feldspath.

Issu du refroidissement lent et de la cristallisation de magma en profondeur dans les continents. Forme d'énormes dômes ou massifs résistant à l'érosion. Mont-Blanc, Bretagne, Montagne Noire, Creuse, Pyrénées ; Aar/Saint-Gothard (Suis.), Baveno, Predazzo et Sardaigne (It.); RU, Port., All. Très courant.

Il existe de nombreuses variétés de granite. Pierre de taille très prisée, utilisée à l'état brut ou en dalles polies. Réduite en poudre, est employée comme engrais.

PEGMATITE

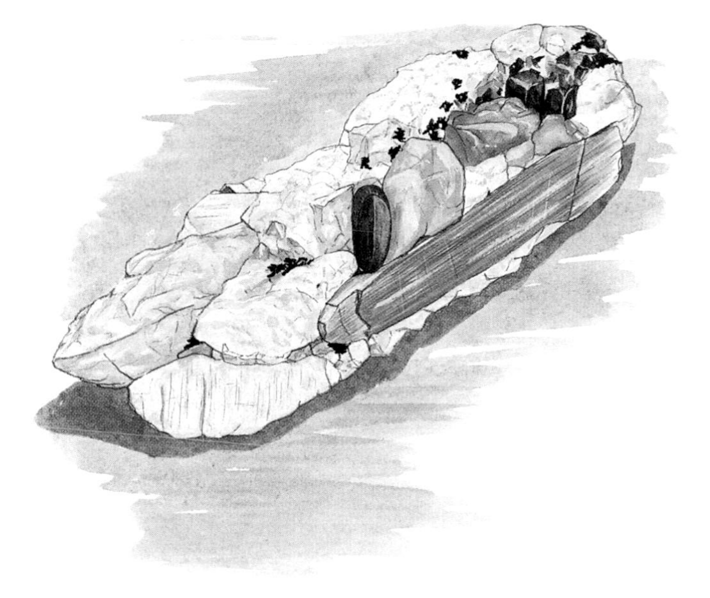

De couleur claire mais variable en raison de la distribution irrégulière de ses composants. Minéraux essentiels similaires à ceux du granite et de la syénite : quartz, feldspaths (orthoclase, albite, microcline), mica, titanite, hornblende. Accessoires : tourmaline, topaze, apatite, spodumène et autres.

De grain très grossier, irrégulier. De grands cristaux faisant parfois 10 m de long, croissent vers l'intérieur à partir des parois des dykes, ou des cavités de la roche (druses).

Résulte de la cristallisation, à des températures et pressions importantes, de minéraux provenant de magmas riches en gaz et en silice. En massifs irréguliers ou en dykes recoupant la roche-mère. Aveyron, Limousin, Côtes-d'Armor ; Côme (Italie) ; Cornouailles (Angleterre) ; presqu'île de Kola (Russie).

Identifiable à la grande taille de ses cristaux. Source de nombreux minéraux d'utilité économique comme le **mica** (isolant), les **feldspaths** (céramique, verre) et pierres précieuses.

RHYOLITE

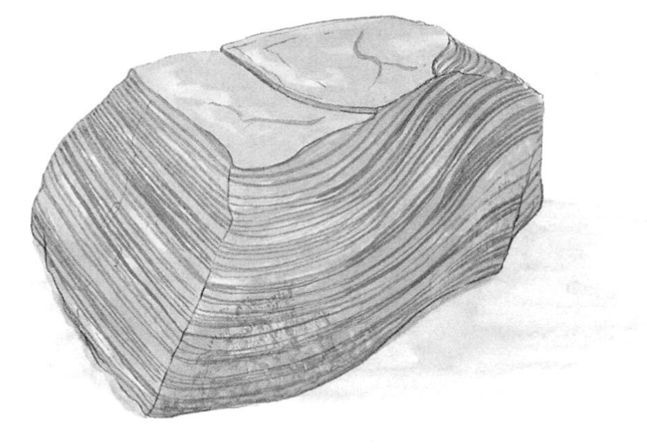

Grise, jaune, rose à rouge sombre : équivalent volcanique des granites, riche en silice. Renferme surtout des minéraux de couleur claire, mais aussi de la biotite, de l'hornblende, un peu de magnétite, d'opale et de topaze. Cristaux alignés dans le sens d'écoulement de la lave.

Compacte. Fins cristaux enchâssés dans une matrice vitreuse. Texture fluidale en bandes parfois apparente. Peut être poreuse, friable ou spongieuse comme la pierre ponce.

Issue du refroidissement rapide d'un magma épais au moment où il atteint la surface ou juste avant son expulsion. En coulées de lave courtes, dykes, sills, ou en auréoles de contact des intrusions massives. Abonde en Toscane et dans les îles Lipari (Italie); en Islande, Hongrie et Roumanie.

Peut être confondue avec un **grès** quand elle est compacte et dévitrifiée. Le porphyre quartzifère est une rhyolite très ancienne. Utilisation : lessivages chimiques.

OBSIDIENNE

Gris fumée, vert foncé à noire, ou striée de brun-rouge ou de noir. Roche ignée peu commune issue d'une lave qui a refroidi si vite qu'elle n'a pratiquement pas cristallisé. Renferme parfois de petits fragments de minéraux des granites. Se dévitrifie en s'altérant. Le pechstein est une obsidienne partiellement altérée.

Transparente à translucide, de minuscules inclusions pouvant lui donner un aspect neigeux. Texture et éclat vitreux. Cassure conchoïdale très nette. D'une dureté élevée : elle raie le verre.

Formée à partir de coulées de lave très épaisses et riches en silice, témoin géologique de l'activité récente de volcans continentaux. L'obsidienne se trouve en abondance sur les îles Lipari (Italie) et dans les environs de Landmannalaugar (Islande).

Aisément identifiable, à cassure acérée, elle fut, comme le silex, employée par les premiers hommes à la confection d'armes et outils. Les galets roulés servent à la fabrication de bijoux.

SYÉNITE

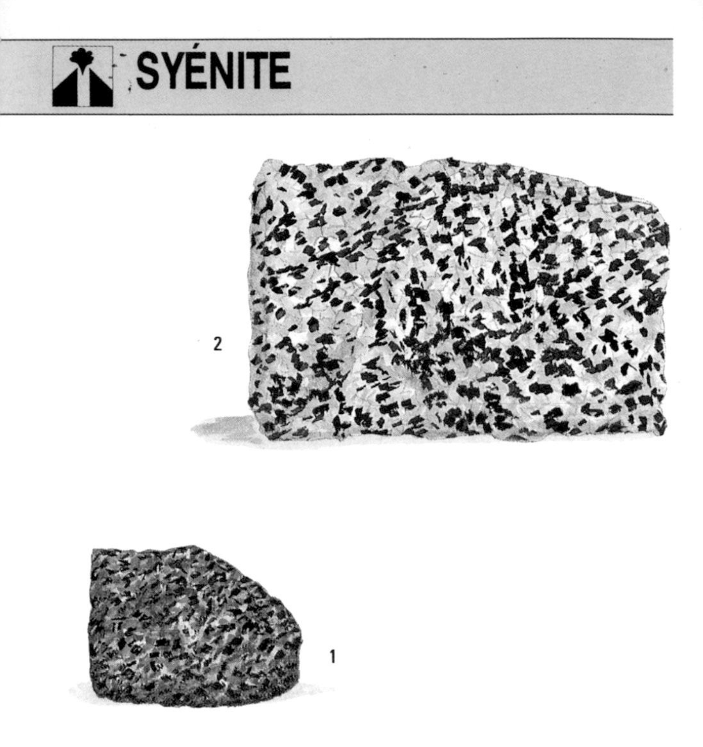

De couleur rougeâtre **(1)**, grise **(2)** ou violacée selon l'importance du feldspath par rapport aux minéraux sombres comme la biotite et les amphiboles. Constituée à 70 % de feldspath alcalin et de plagioclase sodique, mais aussi de muscovite, apatite, corindon, titanite, zircon et néphéline.

À grain moyen. Bandes de pegmatite parfois apparentes. Borde souvent les massifs granitiques, formant comme le granite des blocs diaclasés.

Beaucoup moins courante que le granite, apparaissant sous forme de petites intrusions ou dykes. Origine toujours controversée. Les gisements les plus caractéristiques sont ceux d'Assouan (Égypte). Mais on en trouve aussi dans les environs d'Oslo, dans le Sud et le centre de la Norvège et en Forêt Noire (All.).

Teneur en quartz nulle ou minime, seul critère permettant de la distinguer à première vue du **granite**. Utilisée localement comme pierre de construction.

DIORITE

Gris moyen à foncé, parfois teinté de brun ou vert. Renferme encore moins de quartz que la syénite. Constituée à environ 50 % de feldspaths, biotite, amphiboles et pyroxènes. Minéraux accessoires courants : apatite, zircon, titanite, magnétite, ilménite. Plus rares : diopside, grenat et spinelle.

Texture porphyrique à grain moyen à grossier avec macles de feldspaths, d'hornblende ou biotite. Certains feldspaths sont alignés suivant le sens d'écoulement initial du magma.

Forme massifs, sills et dykes. Issue du refroidissement lent, en profondeur, d'un magma plus riche en fer et magnésium qu'un granite. Texture fluidale en bandes mise en relief par l'érosion différentielle. Gisements : Haute-Savoie ; Sondrio (Italie) ; Thuringe et Saxe (All.) ; Roumanie, Suède et Finlande.

Pierre de construction et décorative d'une grande durabilité mais peu utilisée en raison de sa couleur terne. L'érosion engendre parfois des formations similaires à celles du **granite**.

GABBRO

Gris foncé, noir, teinté de vert ou brun-rouge, parfois plus clair, moucheté. Ses constituants essentiels sont les plagioclases et les pyroxènes auxquels s'ajoute, en plus faible quantité, l'olivine. Minéraux accessoires : quartz, biotite, rutile, magnétite, titanite, corindon, apatite et spinelle.

À grain grossier. Texture porphyrique. Agrégats habituellement massifs, mais parfois zonés ou orbiculaires. S'altère et s'érode plus facilement que les granites.

Issu de la cristallisation lente d'un magma ultrabasique fluide et pauvre en silice. Se présentent en intrusions stratifiées ayant la forme de lentilles. Bien représenté dans les Alpes suisses et italiennes, comme à Zermatt. Autres gisements : Corse, Grèce, Turquie et massif du Harz (Allemagne).

La **diabase** est moins résistante que le gabbro et de texture plus rarement porphyrique. Le gabbro est la principale source d'**olivine**, utilisée dans le revêtement des hauts fourneaux.

Gris foncé à noir. Roche volcanique compacte à grain fin, pauvre en silice. Minéraux essentiels : plagioclase, pyroxène (augite) et olivine. Constituants mineurs : magnétite, ilménite, amphibole (hornblende). Vésicules **(1)** souvent remplies de zéolite et/ou de quartz d'altération postérieure.

Quand la lave basaltique refroidit, les gaz piégés forment des cavités, comblées ensuite par des minéraux précipités à partir de gaz et fluides volcaniques, ou d'eaux de pluie d'infiltration.

Se forme à partir de coulées de lave épaisses de plusieurs centaines de mètres et très étendues, y compris sur la croûte océanique. Des laves récemment éjectées en Islande présentent divers modes de solidification. Existe aussi dans le Massif Central, au Groenland, en Écosse, en Sicile (Etna) et aux îles Canaries.

Aisément reconnaissable à sa couleur sombre, sa densité élevée et sa structure parfois vésiculaire. Équivalent à grain fin du **gabbro.** Sert à l'empierrement des routes et voies ferrées, au pavement.

PÉRIDOTITE

Vert sombre à noire, vert teinté de jaune (dunite), mouchetée. Composée d'olivine, de pyroxène, d'amphibole ou simplement de dunite et de pyroxénite. Renferme parfois de la chromite, biotite, magnétite, du pyrope et du spinelle. Serpentine et talc peuvent être présents en tant que produits d'altération.

À grain moyen à grossier. Dureté variable selon le degré d'altération. En s'altérant, la roche change de couleur et montre des figures d'érosion différentielle.

Issue du lent processus de refroidissement et cristallisation d'un magma ultrabasique. Forme dykes, sills, stocks de petite ou moyenne importance. Stratification possible. Présente dans la Pte. Lizard (Cornouailles, Angleterre) ; dans l'Oural (Russie), et dans l'immense complexe du Bushveld en Afrique du Sud.

La péridotite est source de minéraux de valeur, comme la **chromite**, le platine natif, le **talc** et la **chrysolite**. Les **diamants** sont extraits de la kimberlite.

AUTRES ROCHES IGNÉES

2

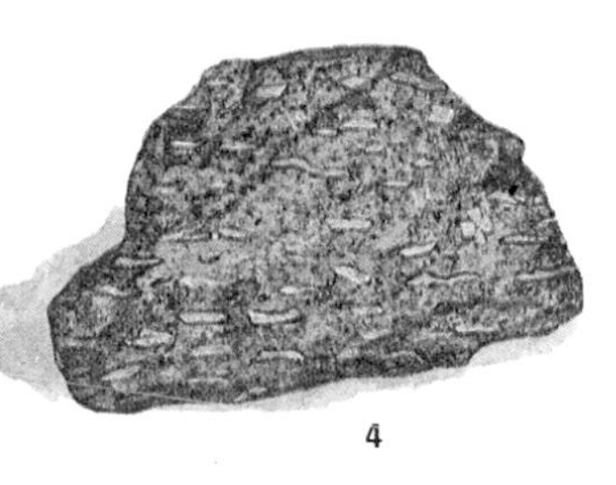

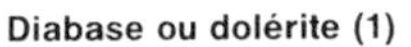

Diabase ou dolérite (1)
De grain, texture et couleur très variables. Généralement noire, gris-noir, verte, blanche et noire. Dans les dykes et sills d'Écosse et d'Allemagne (Harz). Dure et résistante, sert à la fabrication du béton ou comme ballast. Peut être polie.

Porphyre quartzifère (2)
Roche acide composée de quartz, d'orthoclase et de biotite. En coulées de lave, sills et dykes. Gris rosé, de texture porphyrique, avec phénocristaux de quartz. De Biellese à Varesotta (Italie) ; près de Lugano (Suisse), Saxe et Westphalie (All.).

Andésite (3)
Brune, pourpre, vert foncé. Texture porphyrique : phénocristaux de plagioclase, de biotite, d'hornblende et d'augite pris dans une pâte fine. Coulées de lave et dykes formés durant l'orogenèse en Turquie (Tauro) ; Roumanie (Transylvanie) ; Italie (Padoue) ; Martinique (Mgne Pelée).

Trachyte (4)
Gris, parfois ocre-jaune, rose ou blanc. À grain fin avec phénocristaux de feldspath alignés suivant une texture fluidale. Dans les coulées de lave et dykes des volcans basaltiques. Répandu en Hongrie ; en Allemagne (Drachenfells) ; en Italie (près de Naples) ; dans le Puy-de-Dôme (Mont-Dore).

MARBRE

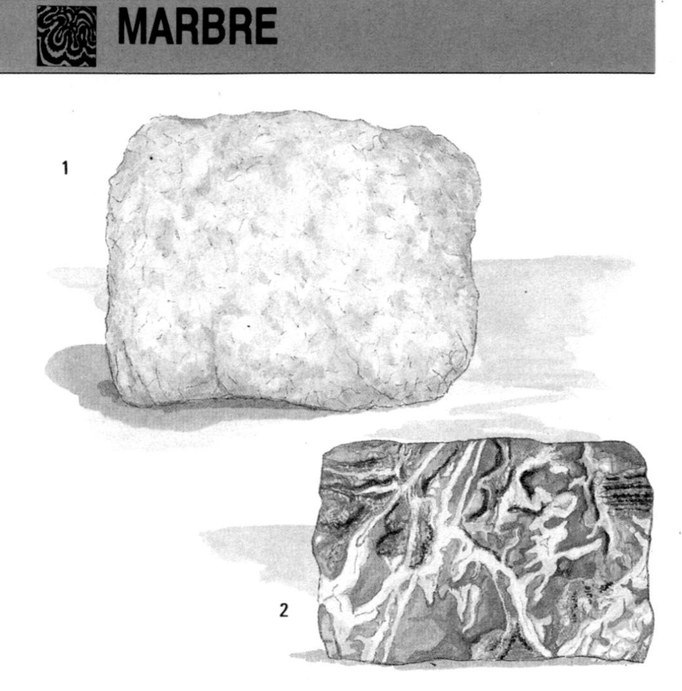

Très souvent blanc **(1)**, parfois teinté de noir, vert, jaune ou brun, veiné ou tacheté **(2)**. Essentiellement constitué de calcite, il peut aussi contenir de la dolomite, de l'hématite, de la serpentine, du talc, de l'épidote, de la diopside. Il est d'autant plus dur qu'il contient plus de minéraux siliceux.

À grain fin à grossier. Texture grenue à saccharoïde. Éclat satiné sur les surfaces de fracture. Se raye facilement avec la lame d'un canif.

Issu d'un calcaire assez pur, par métamorphisme de contact ou régional. Dans les zones de roches métamorphiques, le marbre forme des couches en alternance avec du gneiss ou des micaschistes. : Carrare en Toscane (Italie); Alpes italiennes occidentales et Tyrol, Montagne Noire, Ardennes, Pyrénées.

Exploité à grande échelle comme pierre de construction et ornementale, comme revêtement de sols et murs en dalles polies. Dénominations diverses selon sa teinte et son lieu d'origine.

Gris moyen à sombre, parfois noire (quand elle renferme du graphite et des matières organiques), verte (chlorite), lie-de-vin, pourpre, brune ou jaune. Composée essentiellement de fins cristaux aplatis de muscovite et de chlorite dont l'alignement lui confère sa structure feuilletée caractéristique.

Texture dense, microscopique. Éclat satiné. Cristaux de grenat et d'andalousite parfois visibles. Se débite facilement en fines plaquettes. Se raye aisément au canif.

Issue du métamorphisme régional d'argiles schisteuses et argilites. Forme souvent des escarpements inclinés à contours érodés déchiquetés. Exploitée dans la région d'Angers et à Barr et Andlau (Vosges); dans les Galles du Nord et la région des lacs en Angleterre; à Oijärvi (Finlande) et en bien d'autres endroits.

Aisément identifiable à son aspect feuilleté. Utilisée pour le revêtement de toitures et de sols.

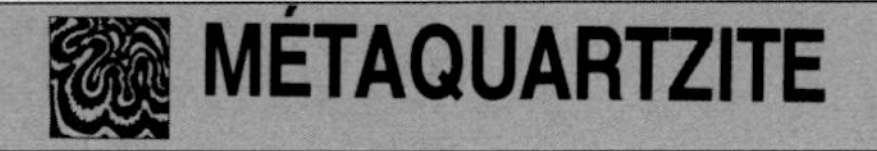

MÉTAQUARTZITE

Blanc s'il est uniquement constitué de quartz, auréolé de gris sombre à noir, de rougeâtre ou jaunâtre s'il contient d'autres minéraux. Ces minéraux accessoires incluent : micas, feldspaths alcalins et plagioclases, apatite, zircon, pyrite, magnétite, ilménite, un peu de granite, grenat et calcite.

À grain fin, de texture parfois saccharoïde. Structure feuilletée ou schisteuse selon l'abondance de micas. Peut évoluer en schiste quartzo-feldspathique.

Courant dans les roches métamorphiques issues de grès, argilites, grauwackes, jaspe et silex, mais aussi, par métamorphisme, de pegmatites. Les masses de quarzite sont souvent imprégnées de minerais de fer. Dans les Highlands, en Écosse et en bien d'autres endroits (Bretagne).

Une des roches les plus dures et les plus résistantes. Utilisée comme revêtement de sols et murs, dans l'industrie du verre et de la céramique, pour les voies ferrées, comme gravier de jardin...

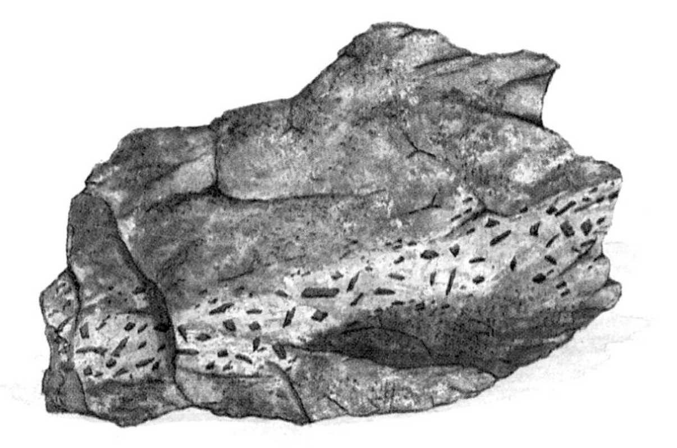

Roses, brunes, violettes ou vertes, mais aussi grises à noires. Peuvent être tachetées ou œillées. Une matrice très fine unit des minéraux qui seuls sont visibles : albite, actinolite, grenat, feldspath, apatite, axinite, cordiérite, corindon, diopside, fluorite, spinelle, quartz et autres.

Texture dense, très compacte. Éclat terne. Cassure esquilleuse à conchoïdale. Se brisent en fragments anguleux à arêtes vives.

Issues de sédiments argileux métamorphisés par contact à des températures très élevées qui favorisent la recristallisation des minéraux d'origine. Se rencontrent en profondeur, au voisinage de grands massifs de roches ignées. À Barr et Andlau (Vosges) ; lac de Laach (All.) ; Oslo (Norvège).

Identifiable à leur cassure d'aspect corné dont elles tirent leur nom. Utilisation mineure comme pierres concassées.

GNEISS

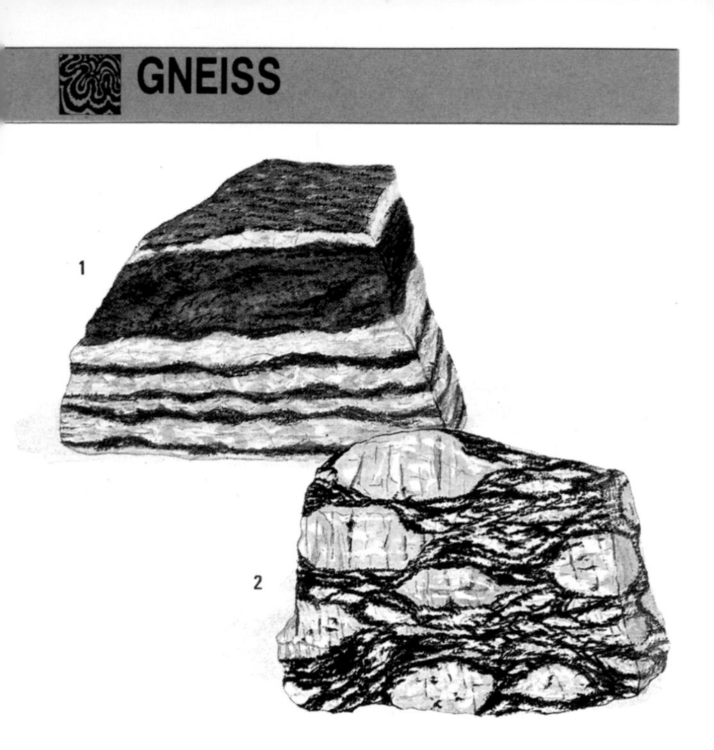

Couleur dominante claire (gris, rose) striée de bandes plus sombres. Sont composés de couches **(1)** ou œils (gneiss œillé, **2**) de quartz et feldspath alternant avec des lits de biotite et d'hornblende. Minéraux accessoires : apatite, grenat, corindon, staurolite, andalousite, cordiérite et titanite.

Texture irrégulière, grain moyen à grossier avec alignement plus ou moins parallèle des minéraux. Les couches de quartz-feldspath sont dures, les lits de mica sont tendres.

Issus de certaines roches ignées situées en profondeur et de certains grès, conglomérats ou argiles schisteuses par métamorphisme régional impliquant des déformations intensives. Répandus. Se trouvent dans les Alpes, au Mont-Blanc, Monte Rosa et Monte Leone. Également en Scandinavie, en Espagne et au Portugal.

Presque aussi résistants à l'érosion que le **granite.** Encore utilisés occasionnellement comme pierres de construction.

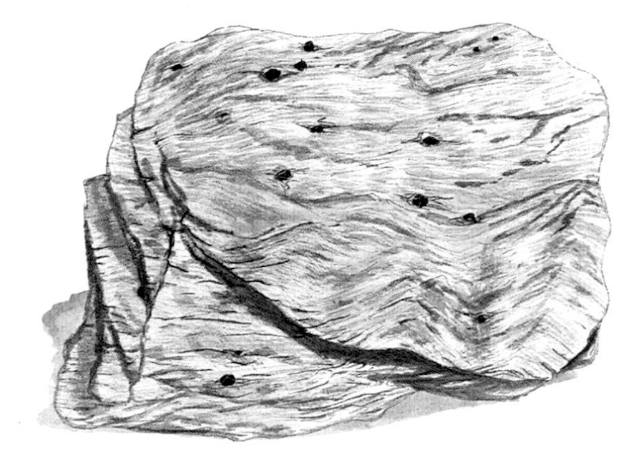

Gris argenté teinté de vert ou brun. Aspect feuilleté dû à l'alignement de fines lamelles de mica, chlorite ou talc. Minéraux essentiels : quartz, mica ou chlorite. En association avec : apatite, tourmaline, zircon, grenat, magnétite, glaucophane, pyrite, cyanite, staurolite, épidote, cordiérite.

Texture variable : feutrée, grain fin à grossier, feuilletée (schisteuse) avec inclusions ovoïdes accessoires. Éclat satiné, avec scintillement dû aux minéraux lamellés.

Issus du métamorphisme régional d'argiles schisteuses, grès, ardoises, rhyolites, basaltes, à des températures et pressions diverses. Micaschistes des Alpes occ. au nord de l'Écosse ; chloritoschistes dans les Alpes occ. et au centre de l'Écosse ; talcschistes dans les Alpes et les Pyrénées, la Toscane, l'Italie et la Suède.

Identifiables à leur aspect feuilleté. Souvent dans des roches basculées ou plissées. Servent de matière première pour l'extraction de certains minéraux. Utilisations locales : lauzes.

FAIBLE MÉTAMORPHISME

Phyllite (1)
Quartz, mica, chlorite et graphite. Vert argenté, à grain fin et schistosité onduleuse. Alpes orientales ; Ardennes ; Massif rhénan (All.) ; Devon (Angleterre). Utilisée localement pour les toitures.

Amphibolite (2)
Basique. Amphiboles et plagioclase avec épidote, quartz, grenat, mica. Vert sombre tacheté de blanc. Laves et tufs basaltiques massifs altérés. Abondante dans les Alpes italiennes (Orobie et Valtellina) et dans le Bouclier baltique norvégien.

Serpentinite (3)
Ultrabasique ; serpentine et magnétite avec talc et chlorite. Dans des tons de vert et rouge, avec marbrures et veines grossières. Altération de la péridotite. Courante dans les Alpes ; Pte Lizard (Cornouailles, Angleterre). Pierre décorative.

Mylonite (4)
Formée à basse température et sous des pressions élevées, suivant les lignes de déformations tectoniques. Massive, compacte, noire, à grain fin et schisteuse. Alpes centrales.

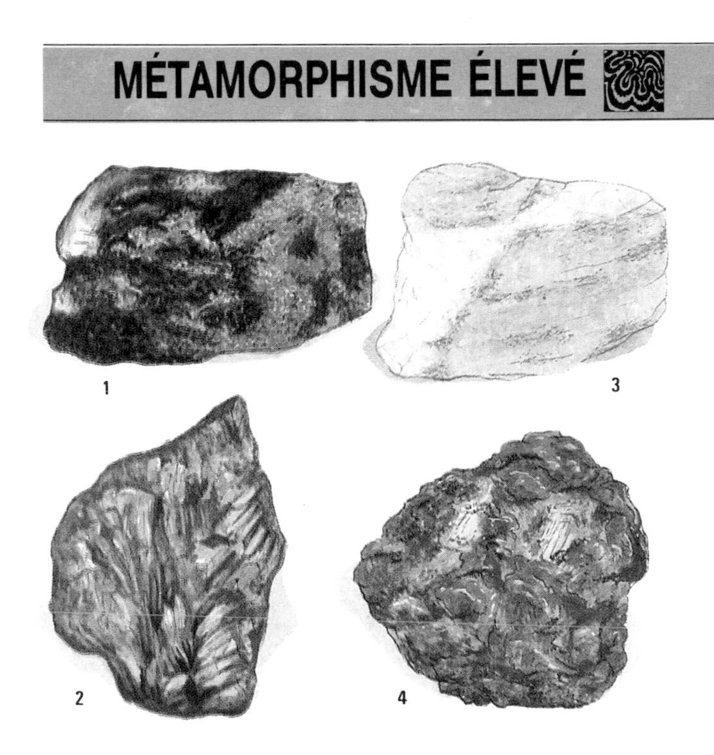

Migmatite (1)
Mélange stratifié de schiste ou de gneiss foncé, et de granite clair. Zone interne de l'auréole de contact de grandes intrusions granitiques. Forêt Noire (All.) ; Finlande.

Skarn (2)
Se forme au contact du granite avec le calcaire. Calcite, pyroxène, grenat avec sulfures métalliques. Grossier, sombre, granoblastique. Source intéressante de nombreux minéraux. Pyrénées (Ariège), Suède.

Granulite (3)
Orthose plagioclase, quartz et grenat avec pyroxène, cyanite, cordiérite et sillimanite. Grain et teinte variables, texture granoblastique. Scandinavie.

Éclogite (4)
Dense, basique, formée sous haute pression. Pyroxène, grenat avec quartz, rutile, pyrite, cyanite, corindon. Vert zoné et moucheté de rouge-brun. Grossière. Massive avec phénocristaux de grenat et pyroxène. Loire-Atlantique, Alpes occ. ; Norvège ; Écosse (Nord-Ouest).

TALC (Stéatite)

den. 2,6 dur.1

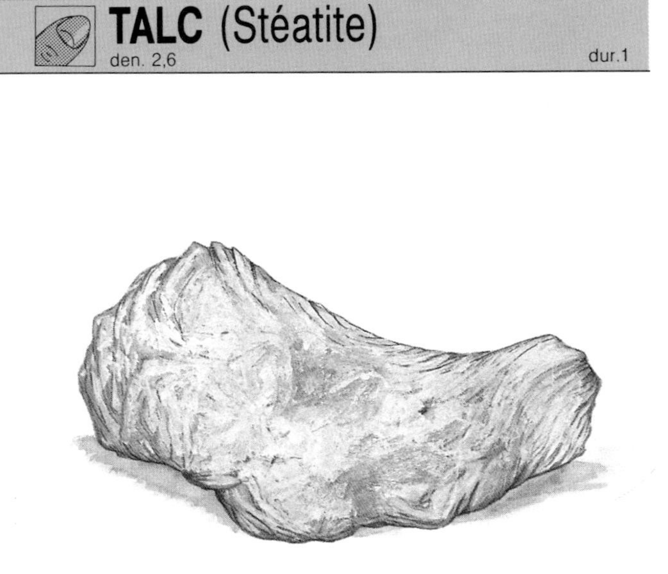

Le talc est vert pâle, gris ou blanc. Cristaux rares, de type monoclinique. En agrégats finement granulaires, feuilletés ou compacts (stéatite). Associé à l'actinolite, la trémolite, la magnésite, et autres minéraux du groupe de la serpentine.

Translucide. Éclat terne, nacré suivant le clivage. Clivage basique parfait. Le talc est tendre, aisément sécable et onctueux au toucher. Trace blanche à vert pâle.

Provient de l'altération métamorphique de dolomies siliceuses (saponite) ou de roches ultrabasiques comme la péridotite. Se forme aussi le long des lignes de faille dans les roches magnésiennes. Luzenac (Pyrénées); Styrie (Autriche); Pte Lizard (Angleterre); Val Chisone, Piémont et Orani, Sardaigne (Italie).

La **kaolinite** est similaire, mais moins dure, sous forme de masses terreuses plastiques. Le talc est utilisé comme lubrifiant, isolant électrique et pour la fabrication de porcelaine (Bretagne).

MOLYBDÉNITE

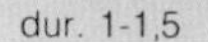

dur. 1-1,5 den. 4,7

Gris-bleu. Les cristaux sont des lamelles hexagonales flexibles et donc souvent déformées. Le plus souvent en agrégats feuilletés ou écailleux, rarement granuleux. Associée au quartz, à la cassitérite, chalcopyrite, à la pyrite, scheelite et au grenat, également à la pyrite et à la barite.

Opaque. Éclat métallique vif. Clivage parfait, parallèle aux lamelles. Onctueuse au toucher. Les fines écailles sont flexibles mais non élastiques. Sécable, tendre et dense.

Se trouve dans des veines soumises à des températures très élevées, des pegmatites et gîtes métamorphiques dans les calcaires. Splendides cristaux à Raade (Norvège) ; Climax (Colorado, U.S.A.) : 90 % de la production mondiale. Petits gisements dans les Cornouailles (Angleterre) ; en Bohême, All., Italie, ex-Yougoslavie.

Se distingue du **graphite** par sa teinte bleuâtre. Facilement identifiable. Principale source de molybdène. Utilisée dans les alliages et comme lubrifiant sec thermorésistant.

GRAPHITE

den. 2,2 dur. 1-2

Gris acier à noir de fer. Se présente sous forme de minces cristaux tabulaires hexagonaux ou plus souvent en agrégats terreux, feuilletés, massifs.

Opaque. Éclat métallique à terne. Clivage basique parfait. Écailleux, tendre et gras au toucher. Marque facilement le papier et les doigts.

Se rencontre dans les schistes et gneiss métamorphiques et en filons dans les roches ignées et les pegmatites. On en trouve à Val Chisone (Italie) ; Borrowdale (Angleterre) ; Bohême (Rép. tchèque) ; Bavière (Allemagne).

Graphite et diamant sont tous deux composés de carbone. Le **diamant** est classé comme le plus dur des minéraux. Utilisations du graphite : creusets pour l'acier, réacteurs nucléaires.

ORPIMENT/RÉALGAR

dur. 1,5-2 den., 3,5

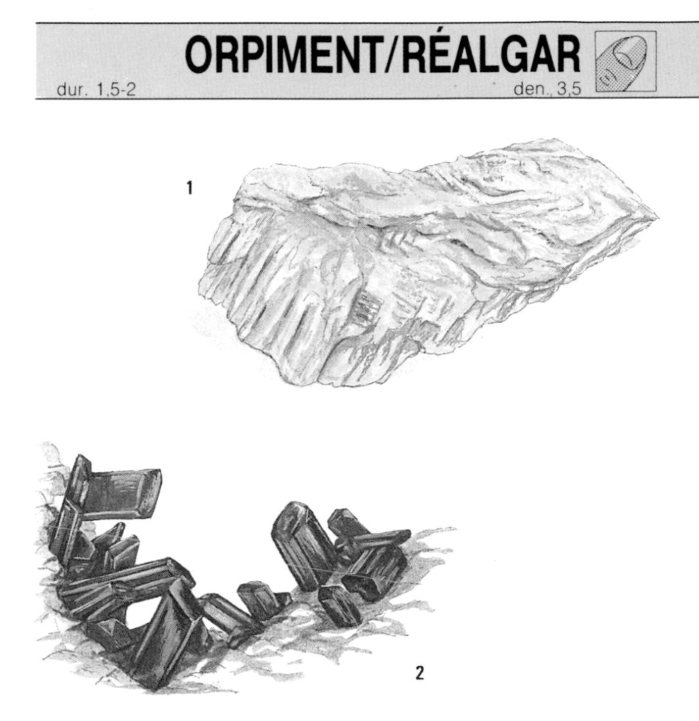

Jaune citron à orangé. Cristaux rares. Habituellement en masses feuilletées. Lamelles flexibles mais non élastiques. Également en agrégats granuleux **(1)** ou fibreux ou en masses terreuses incrustantes. Minéraux associés : stibine, cinabre, calcite, arsenic natif, barite, gypse et réalgar.

Translucide à transparent. Éclat résineux, nacré sur plans de clivage. Clivage basique parfait, comme pour le mica. Sécable au couteau. Assez dense.

Dans les veines hydrothermales et dépôts des sources chaudes. Produit d'altération courant de minéraux à base d'arsenic. Grands cristaux micacés à Nagyag (Roumanie). Se trouve aussi en Suisse (Binnental); Corse (Matra); Italie (Sondrio et Toscane). Exposé à l'air et à la lumière, il tend à se désagréger.

Le réalgar **(2)**, rouge à jaune orangé, est un produit d'altération de l'orpiment. Souvent associés. Le **soufre** ne possède par le clivage parfait de l'orpiment, le **cinabre** est plus dense.

SOUFRE

den. 2,1 dur. 1,5-2,5

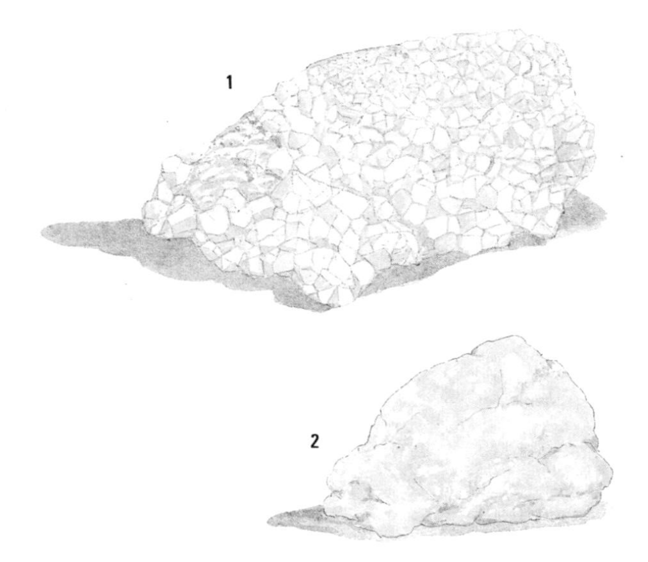

Jaune citron clair quand il est pur; jaune verdâtre, ambre, brun, rougeâtre ou grisâtre dans le cas contraire. Cristaux **(1)** de forme bipyramidale effilée (grands cristaux courants en Italie); parfois tabulaires. Également en masses granuleuses, fibreuses, compactes **(2)** ou encroûtements. Associé à la stibine et au cinabre.

Transparent à translucide. Éclat gras, résineux. Clivage imparfait, basal ou prismatique. Cassure conchoïdale. Très friable. Léger. Conducteur électrique médiocre.

Se trouve dans les roches volcaniques. Les gisements exploités peuvent être d'origine sédimentaire, issus de la désagrégation de minéraux comme le gypse. Présent dans toute la chaîne des Apennins, en Romagne et en Sicile (Italie). Les plus beaux cristaux se trouvent à Agrigente (Sicile).

Difficile à confondre avec un autre minéral. Utilisé comme fongicide par l'industrie chimique et celle du caoutchouc. Les cristaux se brisent aisément au contact de mains chaudes.

(Antimonite) STIBINE

dur. 2 den. 4,7

Gris de plomb, à patine noire. Cristaux prismatiques trapus ou effilés, striés dans le sens de la longueur, légèrement torsadés. Souvent en agrégats de cristaux aciculaires ou granuleux, ou encore en masses rayonnantes ou columnaires. Associée à l'orpiment, la calcite, la galène et au réalgar.

Opaque. Éclat métallique vif. Clivage parfait, parallèle aux stries. Friable. Cassure subconchoïdale. Peu sécable. Peu dense pour un minéral métallifère.

Abondante dans les veines hydrothermales ou dépôts de sources chaudes. On trouve des cristaux exceptionnels à Kapnik (Roumanie) et Rosia (Sienne, Italie). Se rencontre aussi dans le centre de la France; à Côme, Grosseto et en Sardaigne (Italie).

Reconnaissable à la forme légèrement torsadée de ses cristaux et à sa légèreté. Principal minerai d'antimoine, largement utilisé dans l'industrie, jadis dans la cosmétique.

GYPSE

den. 2,3 dur. 2

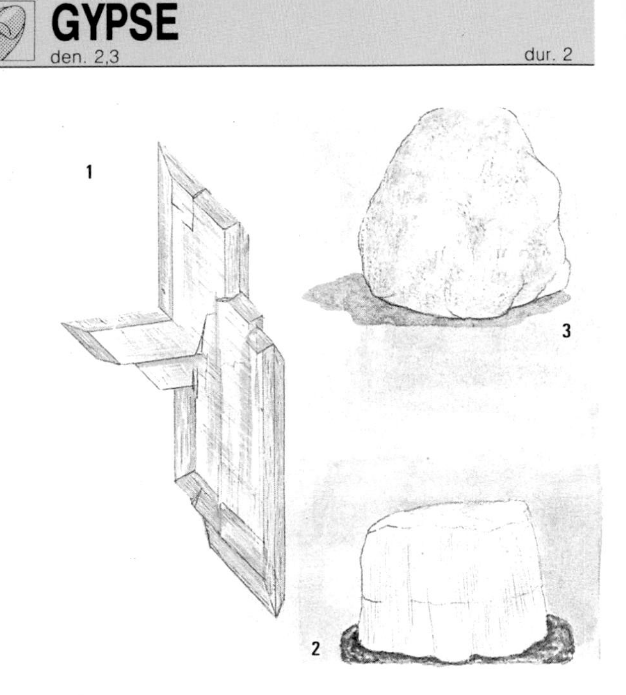

Incolore, blanc, gris, jaunâtre, brun ou rougeâtre. Cristaux tabulaires transparents pouvant atteindre 1 m de long. Macles en fer de lance ou en épieu, fragments de clivage (sélénite, **1**), masses fibreuses ou soyeuses (spath satiné, **2**), albâtre rubané. Forme les «roses du désert» dans le sable.

Transparent. Éclat satiné, nacré sur plans de clivage. Clivage parfait, donnant de fines écailles flexibles mais non élastiques. Tendre, rayable à l'ongle.

Souvent associé à l'anhydrite dans les roches sédimentaires et les gîtes hydrothermaux. Cristaux isolés de sélénite dans les lits d'argile de Pavie et de Sicile (Italie). Gisements massifs dans le Bassin parisien et à Pise (Italie). Roses du désert en Tunisie et au Maroc. Macles en fer de lance à Paris (Montmartre).

L'anhydrite **(3)** se forme en profondeur et se transforme en gypse en surface. Le gypse est plus tendre que la **muscovite** ou la **calcite.** Utilisations : plâtre, ciment, sculpture (albâtre).

CINABRE

dur. 2-2,5 den. 8,0

Rouge clair à brique. Cristaux tabulaires ou macles complexes. Très rare sous forme d'aiguilles fines. Habituellement en agrégats massifs **(1)** ou granuleux **(2)**, ou en encroûtements terreux. Minéraux associés : pyrite, marcassite, stibine, opale, calcédoine, quartz, calcite et dolomite.

Translucide à transparent, ou opaque (variétés massives). Éclat résineux à terne. Clivage parfait, dans trois directions, à 60° ou 120°. Friable, sécable au couteau. Cassure irrégulière. Dense.

Se forme au voisinage de sources chaudes ou dans des laves liées à une activité volcanique. On trouve des cristaux bien développés à Almaden (Espagne). Autres gisements : Abbadia, San Salvatore, Monte Amiata (Italie) ; Idria (Slovénie).

Identification à sa teinte, son poids, sa friabilité. Le cinabre est la principale source de mercure. Utilisé comme pigment connu sous le nom de vermillon.

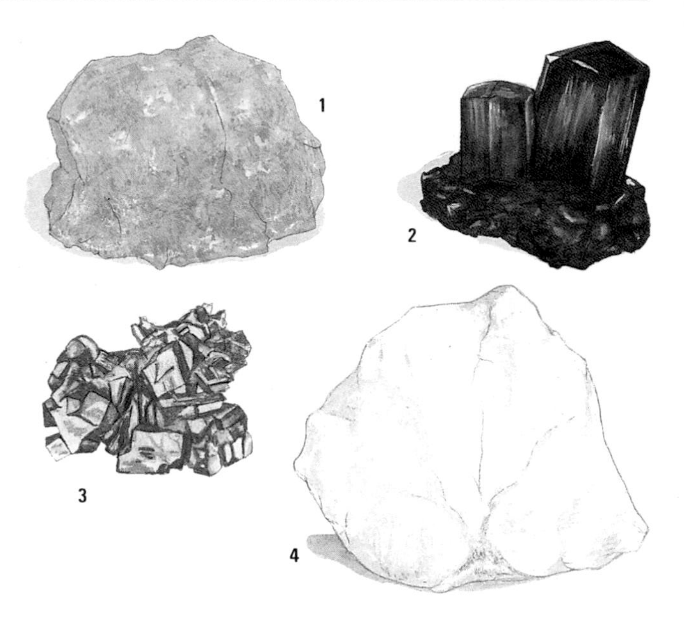

Glauconite (1)
Fins cristaux verts, légers. Clivage basique parfait. Courante. Limons et sables marins du Crétacé et du Tertiaire. Formée par diagenèse. Utilisations : textiles, brasserie, engrais (nord de l'Île-de-France).

Proustite (2)
Massive, striée, lourde. Cristaux fragiles d'un rouge écarlate. Veines de basse température, avec argent natif. Ste-Marie-aux-Mines (Alsace) ; Erzgebirge et Harz (All.) ; Sardaigne. Minerai d'argent.

Argentite-acanthite (3)
Masses lourdes, malléables, de cristaux gris de plomb ou noirs à éclat métallique. Dans des veines, avec galène et argent natif. N'a pas le clivage de la galène. Patine noire. Beaux cristaux à Könsberg (Norvège) ; Freiberg (All.). Principal minerai d'argent.

Kaolinite (4)
En agrégats friables, légers, ocre jaune ou gris d'argile. Issue de l'altération hydrothermale de feldspaths. Courante. Limoges ; Sardaigne ; Bavière ; Bohême. Porcelaine, papier, cosmétiques et médicaments.

BORAX

dur. 2-2,5 den. 1,7

Incolore, blanc, jaunâtre ou bleuâtre. Cristaux en prismes courts bien développés, en général de grande taille. Se présente aussi sous forme compacte, terreuse, ou en encroûtements. Les cristaux se déshydratent facilement et blanchissent. Minéraux associés : halite et autres borates.

Transparent à translucide. Éclat vitreux. Tendre et léger. Clivage parfait dans une direction, bon dans une autre. Friable. Cassure conchoïdale.

Rare en Europe en dehors de la Toscane (Italie). Se rencontre dans les lacs salés et chotts des déserts arides sous forme d'évaporite. On a trouvé des cristaux de 15 cm dans la boue du Borax Lake et dans la Vallée de la Mort (Californie, U.S.A.). Exploité commercialement à Searles Lake (U.S.A.).

Soluble dans l'eau. Saveur alcaline. Difficile à confondre avec d'autres minéraux. Utilisé comme fondant dans l'industrie sidérurgique. Peut être une source importante d'acide borique.

MINÉRAUX URANIFÈRES

dur. 2-2,5

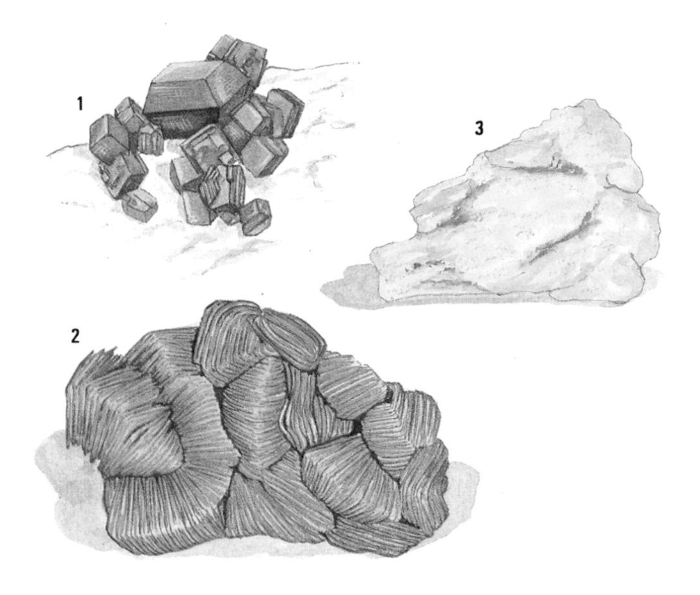

Se trouvent dans les pegmatites et grès radioactifs. Dérivés de la pechblende (uraninite). Minéraux jaune vif, orange ou verts.

Torbernite (1)
Lamelles vert émeraude de contour carré ou pyramides sur quartz. Transparente à translucide. Éclat nacré à vitreux. Clivage parfait. Aveyron ; Cornouailles (Angleterre) ; San Leone, Cagliari (Italie).

Autunite (2)
Lamelles jaune verdâtre à contour carré, écailles micacées. Translucide. Clivage basique et prismatique parfait. Dans les pegmatites à Autun, Magnac (Haute-Vienne), Sabugal (Portugal), Lurisia (Italie).

Carnotite (3)
Croûtes poudreuses tendres jaune brillant. Éclat terreux. Abondante dans les grès désertiques. El Borouj (Maroc), Ferghana (Ouzbékistan).

CHLORITES

dur. 2-2,5 den. 2,7

Vert clair à sombre ou noires. En lamelles hexagonales, masses feuilletées comme le mica, ou agrégats granuleux ou compacts onctueux au toucher. La chlorite (ci-dessus), le clinochlore, la thuringite et la pennine sont des minéraux bien connus du groupe des chlorites.

Translucides. Éclat vitreux à nacré. Clivage lamellaire parfait. Lamelles flexibles mais non élastiques. Variétés massives faciles à sculpter, servant à des fins décoratives.

Remplissent les cavités des basaltes; associées à l'albite et l'épidote dans les roches métamorphiques de contact; au grenat dans les schistes, amphiboles et gneiss; parfois en dépôts hydrothermaux. Zermatt (Suisse), Val d'Ala (Turin, Italie), Zillertal (Autriche). Masses feuilletées dans toutes les Alpes occidentales.

Les minéraux du groupe des chlorites ne sont pas faciles à identifier séparément. Leurs écailles, contrairement à celles du **mica,** sont flexibles mais non élastiques.

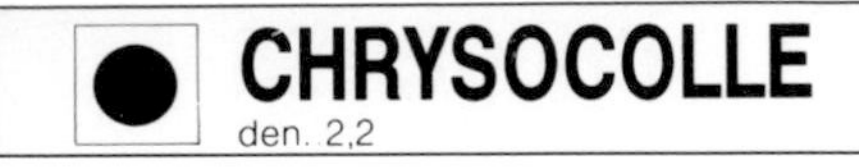

CHRYSOCOLLE

den. 2,2 dur. 2-2,5

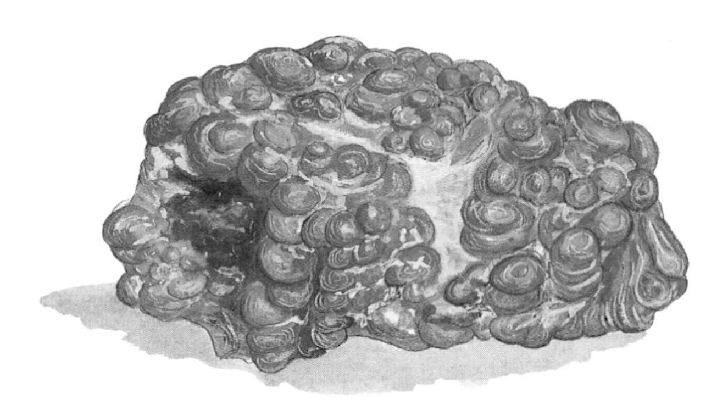

Bleue, vert-bleu ou verte ; brune à noire quand elle est impure. Ne forme que rarement des cristaux. Se présente habituellement sous forme de masses botryoïdales, parfois semblables à celles de l'opale. Associée à la malachite, l'azurite, la limonite et la cuprite.

Translucide. Éclat vitreux, gras ou terne. Non clivable. Très friable. Cassure conchoïdale. Trace blanche à vert pâle légèrement bleuâtre.

Se forme dans la zone supérieure des gîtes cuprifères, surtout dans les régions arides. Importants gisements au Maroc. Se trouve aussi en Russie et en Italie, à Predarossa (Val Masino, Sondrio) et Monzoni (Val di Fassa, Trente). Le Chili en est la principale source.

La chrysocolle est bien plus tendre que la **turquoise** ou la **calcédoine**. Sa présence permet de localiser certains minerais de cuivre. Pierre d'ornement. Important minerai de cuivre.

GALÈNE

dur. 2,5 den. 7,4

Gris de plomb. Fréquemment sous forme de cristaux, fragments de clivage cubiques ou plus rarement octaédriques. Également en agrégats massifs, granuleux ou fibreux à grain fin. Minéraux associés : quartz, barytine, fluorite, pyrite, blende, chalcopyrite et bornite.

Opaque. Éclat métallique. Clivage cubique parfait, mais qui peut être masqué par un matériau d'un grain extrêmement fin. Friable. Se désagrège en cubes. Dense.

Se rencontre dans les roches sédimentaires, veines hydrothermales et pegmatites. Dans les mines de l'Île de Man, le Derbyshire et le Cumberland (Angleterre). Pont-Péan (Ille-et-Vilaine). Vastes gisements en Allemagne (Andreasberg, Harz ; Freiberg, Erzgebirge).

Se distingue de la **blende** et de la **stibine** par son clivage cubique parfait. Principale source de plomb.

● HALITE (Sel gemme)

den. 2.1 dur. 2,5

Incolore, blanche, teintée de rouge, jaune ou bleu, ou panachée. Cristaux cubiques avec parfois des faces concaves en trémies. Aussi sous forme granuleuse, de grandes masses clivables, de croûtes blanches (par cristallisation de gaz volcaniques ou évaporation). Accompagne souvent le gypse.

Transparente. Éclat gras ou terne, chaude et humide au toucher. Clivage parfait, en cubes. Friable. Soluble dans l'eau.

Issue de l'évaporation d'eaux stagnantes salées. Dépôts sédimentaires massifs avec les argiles. Fluidifiée par une forte pression, forme des dômes ou culots dans les couches supérieures. Stassfurt (All.), Wieliczka (Pol.), Cardona (Esp.), Salzkammergut (Autr.), Dieuze, Château-Salins, environs de Nancy.

Facilement identifiable à son goût salé, son clivage cubique parfait et son contact humide. Ingrédient essentiel de l'alimentation humaine et animale. Produits chimiques, alimentaires.

CUIVRE NATIF ●

dur. 2,5-3 den. 8,9

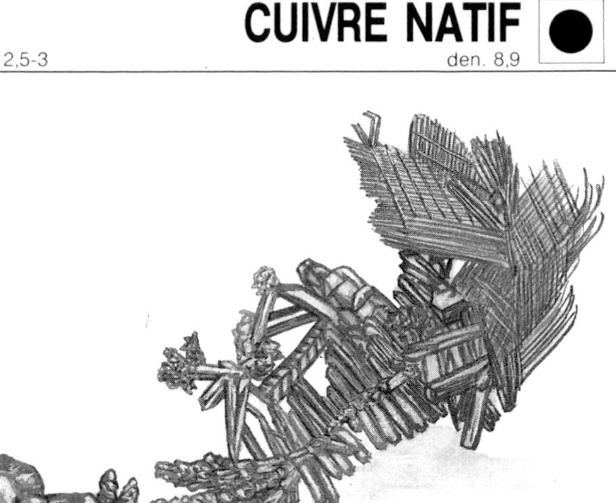

Rose ou rouge cuivre sur plan de cassure récent. Patine brune à noire avec auréoles vert bleuté. Cristaux rares, cubiques, souvent aplatis. Habituellement sous forme d'agrégats ramifiés plus ou moins fins, d'écailles, de lamelles, de masses, avec traces d'autres métaux. Associé à : calcite, cuprite, zéolite.

Opaque. Éclat métallique. Non clivable. Cassure fibreuse. Très ductile et malléable. L'apparition d'auréoles vert bleuté sur une roche exposée à l'air libre révèle la présence de cuivre.

Le cuivre natif se développe quelquefois dans le basalte, par réaction de solutions riches en cuivre avec des minéraux ferrugineux. Les cristaux les plus fins et les masses les plus volumineuses proviennent du Lac Supérieur (U.S.A.). Siegerland (All.), Langban (Suède), Chessy (Rhône), Saint-Véran (Hautes-Alpes).

En raison de sa couleur et de sa malléabilité caractéristiques, le cuivre est difficile à confondre avec d'autres minéraux. Alliages (laiton, bronze), ornements, sculptures, ustensiles.

ARGENT NATIF

den. 10 dur. 2,5-3

Blanc grisâtre, argenté, presque noir quand il se ternit. En ramifications filamenteuses, mais aussi en écailles, feuilles, lamelles remplissant des fissures rocheuses ou sous forme massive. Cristaux rares, cubiques ou octaédriques. Associé à la calcite, la barytine et d'autres minéraux d'argent.

Opaque. Éclat métallique. Non clivable. Cassure fibreuse. Très malléable (peut être aplati en feuilles au marteau) et ductile (transformable en fil électrique).

Dans la zone oxydée des gîtes métallifères ou veines hydrothermales. Les plus beaux proviennent de Köngsberg (Norvège). On trouve aussi de l'argent natif à Freiberg (All.), en Sardaigne (Italie) et à Sainte-Marie-aux-Mines (Alsace).

L'**argenterie-acanthite** est un sulfure d'argent à patine noire souvent associé à l'argent natif. Ce dernier est également présent en petite quantité dans les minerais d'or et plombo-zincifères.

OR NATIF

dur. 2,5-3 den. 17,0

Jaune d'or, rosé quand il est moins pur. Ne ternit pas. Cristaux en cubes ou octaèdres, maclés ou en groupes parallèles. Également en grains, blocs, plaquettes, feuilles, fils. Contient souvent de l'argent et/ou du cuivre natifs. Associé à la pyrite ou l'arsénopyrite, souvent au quartz **(1)**.

Opaque. Éclat métallique vif. Non clivable. Très lourd, malléable (peut être aplati au marteau), ductile (transformable en fil).

Se forme surtout dans des filons de quartz avec la pyrite et d'autres minéraux métallifères, mais aussi la scheelite et la tourmaline. Récupérable aussi par lavage à la batée dans les alluvions. Afrique du Sud, U.S.A., Canada et Russie. Exploité à Salsigne (Aude), en Corrèze. Alluvions dans les Pyrénées et en Bretagne.

Se distingue par sa teinte dorée inaltérable, son poids, sa malléabilité. La **chalcopyrite** est friable, plus cuivrée, la **pyrite** (« or des fous ») est plus dure, moins lourde.

● CHALCOSINE (Chalcocite)

den. 5,6 dur. 2,5-3

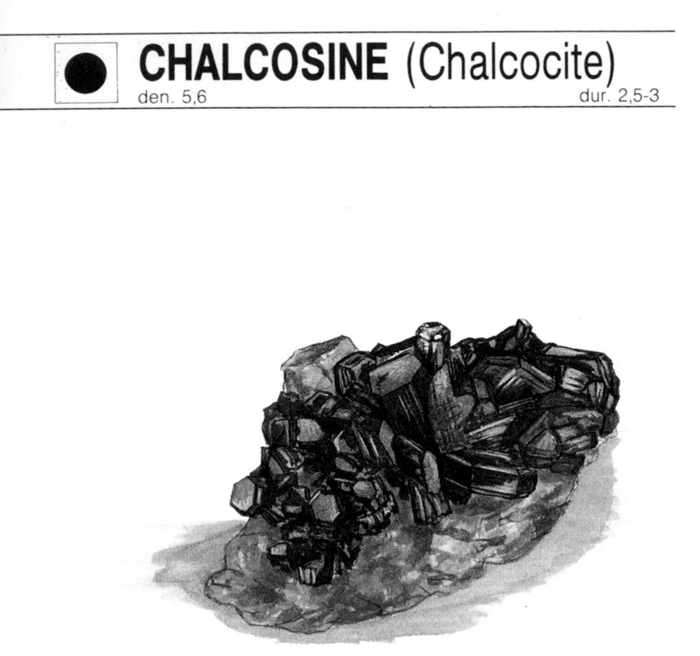

Gris de plomb sombre. Patine d'un noir terne. Cristaux rares, en forme de prismes courts ou tabulaires, striés sur une face. Parfois hexagonaux ou maclés en genou. Plus couramment sous forme granuleuse ou compacte. L'un des minéraux cuprifères les plus répandus.

Opaque. Éclat métallique, étincelant. Friable. Clivage prismatique imparfait. Cassure conchoïdale. Assez malléable. Assez dense.

Se forme dans les filons aurifères des gîtes hydrothermaux, où elle est souvent associée à d'autres minéraux cuprifères. Splendides cristaux pseudo-hexagonaux dans les Cornouailles (Angleterre). Zaïre.

Sa couleur le distingue des autres minéraux cuprifères. Son clivage n'est pas aussi parfait que celui de la **galène.** Important minerai de cuivre.

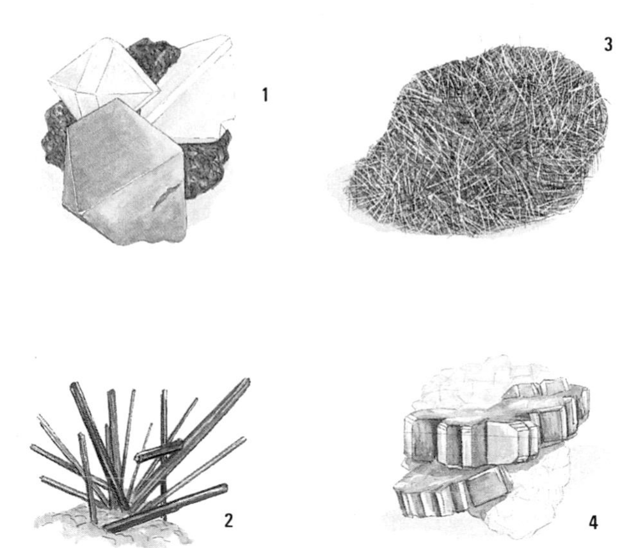

Anglésite (1)
Produit d'altération de la galène ; quelquefois exploitée pour le plomb. Transparente, incolore, blanche, jaune, orange à brune. Fragile. Cristaux prismatiques. Maroc (Touissite).

Crocoïte (2)
Produit d'altération hydrothermale de la galène, minerai de chrome. Fragile, dense, rouge orangé. Cristaux aciculaires ou incrustations granuleuses, éclat adamantin, gras. Nontron (Dordogne).

Jamesonite (3)
Masses denses de cristaux aciculaires ou fibreux gris métallique à noires. Clivage basique. Dans des veines avec galène, pyrite et calcite. Massiac (Cantal), Arnesberg, Wolfsberg et Freiberg (All.). Minerai de plomb et d'antimoine.

Bournonite (4)
Masses denses gris métallique à noires de cristaux tabulaires trapus et fragiles, maclés en « roues dentées ». Un seul clivage parfait. Avec la galène à Liskeard (Angleterre), Harz (All.), Brosso et Sardaigne (Italie), Pontgibaud (Puy-de-Dôme). Minerai de plomb, cuivre et antimoine.

BORNITE

den. 5,1 dur. 3

1

Bronze à cuivrée. Se ternit rapidement en surface et présente alors des irisations « gorge-de-pigeon » bleues à violacées **(1)**. Cristaux rares, cubiques ou dodécaédriques. Habituellement en agrégats massifs ou granuleux. Minéraux associés : barytine, calcite, andratite, galène, quartz, énargite, chalcopyrite ou malachite.

Opaque. Éclat métallique irisé. Clivage octaédrique imparfait. Friable. Cassure irrégulière.

Se forme dans les gîtes cuprifères, dans les roches ignées basiques, pegmatites et veines hydrothermales. Beaux cristaux à Redruth (Cornouailles, Angleterre), Salzbourg (Autriche), Vrancice (Bohême, République tchèque) et dans le Tarn. Sous forme massive en Allemagne et Italie.

Identifiable à sa patine irisée ainsi qu'à son association avec d'autres minéraux cuprifères. Un des minerais de cuivre les plus exploités à des fins commerciales.

VANADINITE

dur. 3 — den. 7,0

Rouge vif orangé, jaune ou brune. Cristaux en forme de petits prismes hexagonaux, parfois creux. Également sous forme fibreuse, en agrégats rayonnants ou en encroûtements. Associée à la galène, la crocoïte, la wulfénite et la barytine.

Transparent à translucide. Éclat adamantin ou gras. Clivage nul. Friable. Cassure conchoïdale ou irrégulière. Tendre mais assez dense. Trace blanche.

Se rencontre dans les zones oxydées des gîtes plombifères. Essentiellement au Maroc et au Mexique. Grands cristaux jaunes, rouges et bruns dans les Alpes, à Obir; Carinthie (Autriche). Se trouve aussi à Dumfries (Écosse).

Sa couleur la distingue de la **pyromorphite.** Minerai de vanadium, utilisé dans les alliages et la fabrication des teintures.

MICAS

den. environ 3 dur. 3

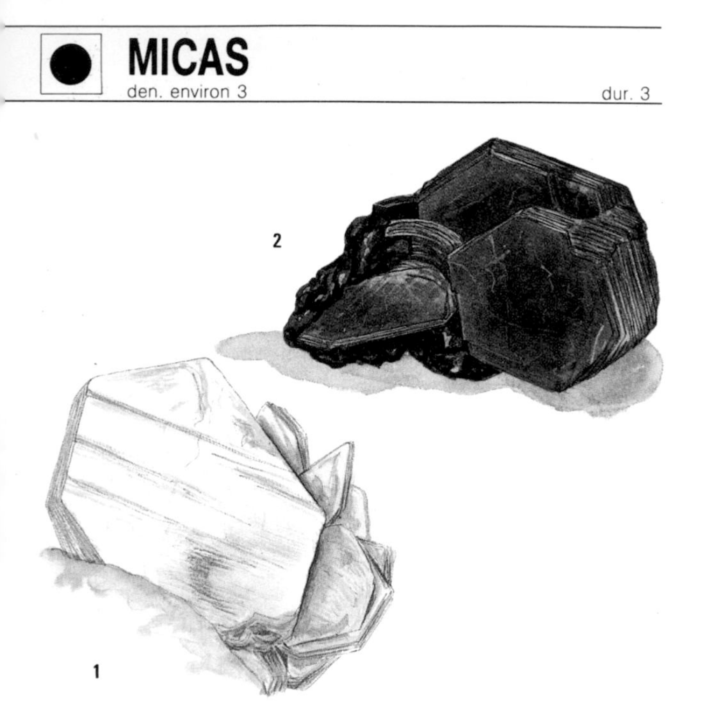

Muscovite **(1)** incolore, blanche, ambre, rose ou vert pâle, biotite **(2)** vert sombre, brune ou noire, phlogopite jaune à brune, lépidolite lilas et autres. En lamelles hexagonales flexibles, élastiques, écailles ou feuilles. Également en masses lamellaires et minuscules paillettes.

Clivage parfait, parallèle aux lamelles. Se débitent en feuillets ou écailles élastiques très fines. Transparents à translucides. Éclat nacré. Opaques en lames minces.

Répandus. Courants dans les pegmatites. La phlogopite est associée aux marbres. Grandes plaquettes de muscovite à Pisso Forno (Suisse). Lépidolite à Utö (Suède) et sur l'île d'Elbe. Phlogopite à Pargas (Finlande). Splendides cristaux de biotite à l'intérieur de géodes sur le Vésuve (Italie).

Les micas se distinguent les uns des autres par leur teinte et leur environnement, de la **chlorite** par l'élasticité de leurs lamelles.

SERPENTINE

dur. 3 den. 2,6

1

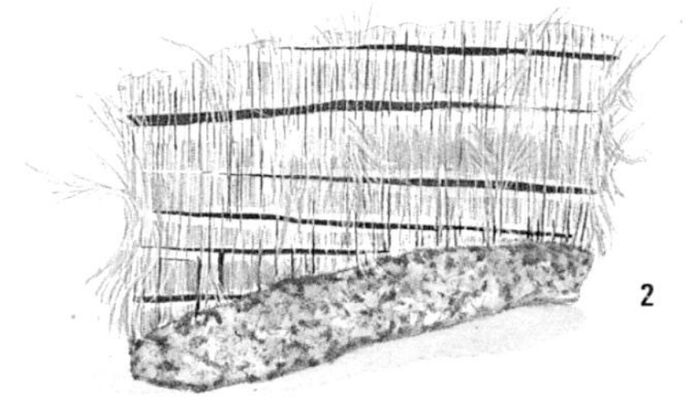

2

Verte, jaune, brune, blanche ou panachée. Ses deux variétés les plus courantes sont : l'antigorite **(1)** en agrégats massifs, compacts ou botryoïdaux, utilisée en dalles de sols ou murs ou pour la sculpture ; le chrysotile **(2)**, asbeste fibreux, aux fibres résistantes et flexibles très employées industriellement.

Translucide à opaque. Éclat satiné, cireux, gras. Cassure conchoïdale (antigorite), irrégulière ou fibreuse (chrysotile).

Issue de la transformation de l'olivine et du pyroxène. Courante dans les gabbros et roches ultrabasiques altérées. Se rencontre dans le Val Antigorio (Piémont, Italie), mais aussi en Suisse, Grèce, Pologne, République slovaque, dans l'Aveyron et la Pte Lizard (Cornouailles, Angleterre).

Plus tendre que l'asbeste du groupe des **amphiboles**, mais plus dure que le **talc**. Doit son nom aux ondulations de surface de la roche qui la renferme, la serpentinite.

CÉRUSITE

den. 6,5 dur. 3

Incolore, blanche, grise, jaune ou brune. Petits cristaux tabulaires, parfois striés **(1)** formant souvent des réseaux squelettiques **(2)**. Également en groupes rayonnants ou en agrégats massifs, granuleux ou compacts. Associée à la galène, la malachite, la barytine, la smithsonite et l'anglésite.

Transparente à translucide. Éclat adamantin. Clivage prismatique dans deux directions. Cassure conchoïdale. Très fragile. Pesante.

Minéral secondaire, dérivé en général de la galène dans des gîtes hydrothermaux. Se rencontre à Montevecchio et Montepori (Sardaigne, Italie), à Mezica (Slovénie) et aussi dans des minerais à Mechernich (Allemagne).

La cérusite est un minerai de plomb. Jadis utilisée comme pigment blanc.

(Spath calcaire) **CALCITE**

dur. 3 den. 2,7

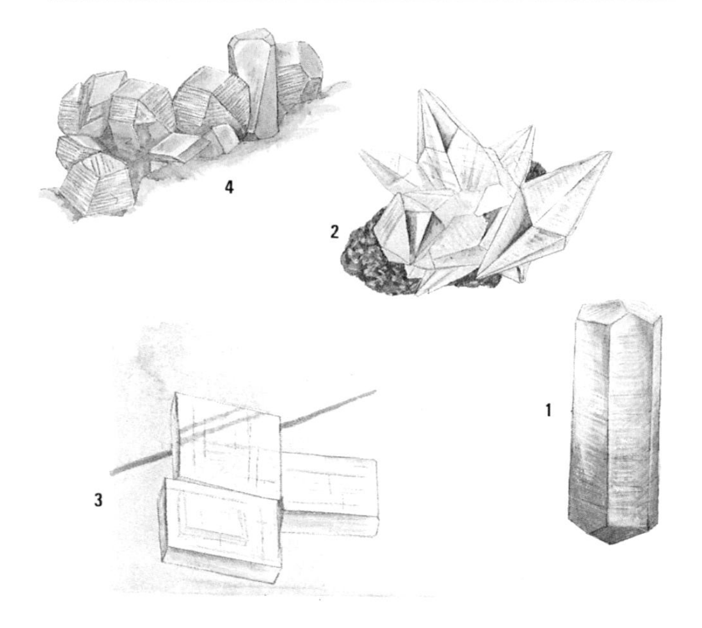

Très courante. Cristaux incolores ou teintés de tailles diverses, en tablettes épaisses (spath en tête de clou, **1**), en scalénoèdres (spath en dents de chien, **2**), effilés ou aciculaires. Structure microcristalline dans marbres et craie. Associée à la dolomite, la sidérite et la magnésite.

Transparente à translucide. Éclat vitreux. Trois clivages, presque à angles droits. Double réfraction (spath d'Islande, **3**). Plus facile à rayer sur la base que sur le plan de clivage.

Se trouve dans les roches sédimentaires, comme le calcaire et la craie, souvent riches en fossiles; dans des veines, précipitée à partir de solutions; en stalactites et stalagmites dans les grottes; ou recristallisée en marbre ou travertin. Répandue en Europe. Beaux cristaux en Italie, Islande, Allemagne, France.

La magnésite **(4)** ressemble beaucoup à la calcite (cristaux rhomboédriques et prismatiques). La calcite se distingue mal de la **sidérite** brunâtre ou de la **dolomite** ocre rosé.

BARYTINE (Baryte, Spath pesant)

den. 4,5 dur. 3-3,5

Incolore ou blanche, jaune, brune, rouge ou bleue. Cristaux habituellement tabulaires **(1)**, minces ou épais, parfois prismatiques. Forme des agrégats ramifiés, fibreux, lamellaires, granuleux ou compacts. Ou des concrétions en « crêtes de coq » **(2)** semblables aux « roses du désert ». Associée à l'apatite.

Transparente à translucide. Éclat vitreux ou nacré. Clivage basique et prismatique parfait. Particulièrement dense pour un minerai de couleur claire.

Abonde dans les roches sédimentaires sous forme de concrétions nodulaires, souvent dans des veines au voisinage de minerais de soufre. Répandue. Beaux cristaux en Westphalie (All.) ; Cumberland, Cornouailles et Derbyshire (Angleterre), Corrèze, Indre Hérault et Aveyron.

Peut être identifiée uniquement à sa densité. **Calcite** et **fluorite** ont des clivages différents, le **gypse** est plus tendre, le **feldspath** plus dur. Utilisations : papier, tissu, peintures, etc.

TÉTRAÉDRITE/TENNANTITE

dur. 3-3,5 den. environ 5

Gris acier à noire. Comme son nom l'indique, les cristaux sont souvent tétraédriques, maclés par interpénétration ou en associations parallèles. Souvent en agrégats massifs, granuleux ou compacts. Tétraédrite et tennantite appartiennent au groupe des cuivres gris.

Opaque. Éclat métallique. Non clivable. Friable. Cassure subconchoïdale à irrégulière. Les fines esquilles de la proche tennantite peuvent être rouge sombre et translucides.

Se trouve dans les gîtes hydrothermaux de minéraux cuprifères, plombières, zincifères et argentifères. Beaux cristaux à Boliden (Suède). Se rencontre aussi à Botés et Kapnik (Roumanie), Freiberg (All.), Schwatz (Autriche) et en Italie. Ariège (les plus gros cristaux connus), Puy-de-Dôme.

Se distingue de la **blende** par son absence de clivage. Important minerai de cuivre, parfois d'antimoine et d'argent.

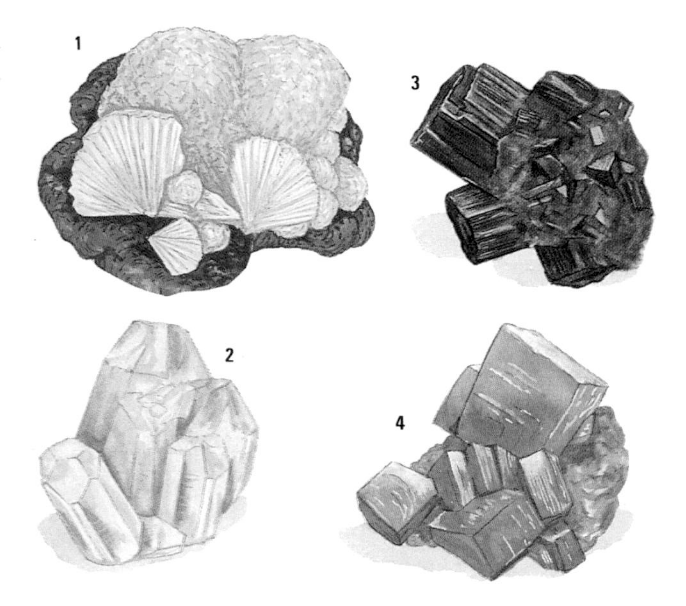

Adamite (1)
Gros cristaux tabulaires incolores, vert jaunâtre, bleus, violets ou rouge clair, à éclat vitreux. Bon clivage. En encroûtements drusillaires ou agrégats globuleux. Dans la zone oxydée de gisements de calcaire.
Laurion (Grèce).

Célestine (Célestite) (2)
Incolore, blanche, jaune ou bleu pâle. Dans des veines ou sédiments sous forme de nodules, masses fibreuses ou cristaux prismatiques striés. Transparente, vitreuse. Clivage basique parfait. Principal minerai de strontium.

Énargite (3)
Important minerai de cuivre et d'arsenic. En agrégats lamellaires gris-noir, lourds, fragiles, opaques, à éclat métallique. Cristaux tabulaires striés rares. Associée à des minéraux cuprifères à Bor (ex-Yougoslavie), Baden (All.), Chizeuil (Saône-et-Loire).

Wulfénite (4)
Cristaux tabulaires lourds, jaune orangé. Éclat adamantin. Translucide. Trace blanche. Bon clivage. Avec cérusite à Bleiberg (Autriche). Minerai secondaire de molybdène.

(Pyrite de cuivre) CHALCOPYRITE

dur. 3,5-4 den. 4,2

Jaune d'or à ternissement rapide légèrement irisé ou bleu foncé, violet et noir. Cristaux pseudo-tétraédriques **(1)** à faces inégales, parfois striées. Souvent sous forme massive **(2)** compacte ou granuleuse. Très souvent associée à la pyrite, la chalcosine, l'or natif et bien d'autres minéraux.

Opaque. Éclat métallique vif avec patine irisée. Clivage imparfait. Friable. Cassure irrégulière.

Largement disséminée dans diverses roches métamorphiques et gîtes hydrothermaux. De grands cristaux de 20 cm ont été trouvés dans l'Isère et les Vosges. Se rencontre aussi au Mt Sulitjelma et Falun (Norvège), Rio Tinto (Espagne), Rammelsberg et Mansfeld (All.).

Important minerai de cuivre. Identifiable à sa dureté, sa teinte et sa friabilité. La **pyrite** est plus pâle et plus dure, à cristaux cubiques. L'**or** ne se ternit pas.

BLENDE (Sphalérite)

den. 4 dur. 3,5-4

Jaune, brune, verte, rouge sombre à noire. Cristaux tétraédriques ou dodécaédriques, à faces quelquefois courbes. Également en masses granuleuses, compactes, botryoïdales ou lamellaires. Associée à la galène, la fluorite, la cérusite, l'arsénopyrite, la chalcopyrite, au quartz et autres minéraux.

Transparente à translucide. Certaines variétés sont très sombres, presque opaques. Éclat résineux, presque métallique. Clivage parfait dans six directions. Friable. Cassure conchoïdale.

Se trouve dans les mêmes types de roches que la galène. Courante. Superbes cristaux à Trepča (ex-Yougoslavie), Příbram (Rép. tchèque), Alston Moor (Angleterre). Beaux cristaux à Binnental (Suisse) et Carrare (Italie). Se trouve aussi dans des mines de zinc : Bleiberg (Autriche) et La Mure (Isère).

Peut être prise pour d'autres minéraux, comme son nom l'indique (du grec « trompeur »). Identifiable à son éclat et son clivage. Principale source de zinc, à large usage industriel.

(Fer spathique) SIDÉRITE

dur. 3,5-4 den. 3,8

Gris jaunâtre, jaune pâle, brun clair à sombre. Cristaux rhomboédriques à faces incurvées, parfois striés ou tabulaires. Ou sous forme granuleuse, compacte, massive, botryoïdale ou fibreuse. Minéraux associés : barytine, chalcopyrite, calcite, rhodocrosite, galène et sphalérite.

Translucide. Éclat vitreux, nacré ou terne. Clivage rhomboédrique parfait, dans trois directions. Friable. Cassure irrégulière ou conchoïdale. Devient magnétique à chaud.

Se trouve dans les roches sédimentaires, dans les argiles, argiles schisteuses ou filons de charbon; dans les filons de minerais métalliques et les pegmatites. À Allevard (Isère), en Styrie (Autriche), à Redruth et Camborne (Cornouailles, Angleterre). En Lorraine, à Bilbao (Espagne), en Autriche et Italie.

Se distingue de la **blende** par son clivage rhomboédrique. Important minerai de fer, d'autant plus intéressant qu'il ne renferme pas de soufre.

RHODOCROSITE

den. 3,5 dur. 3,5-4

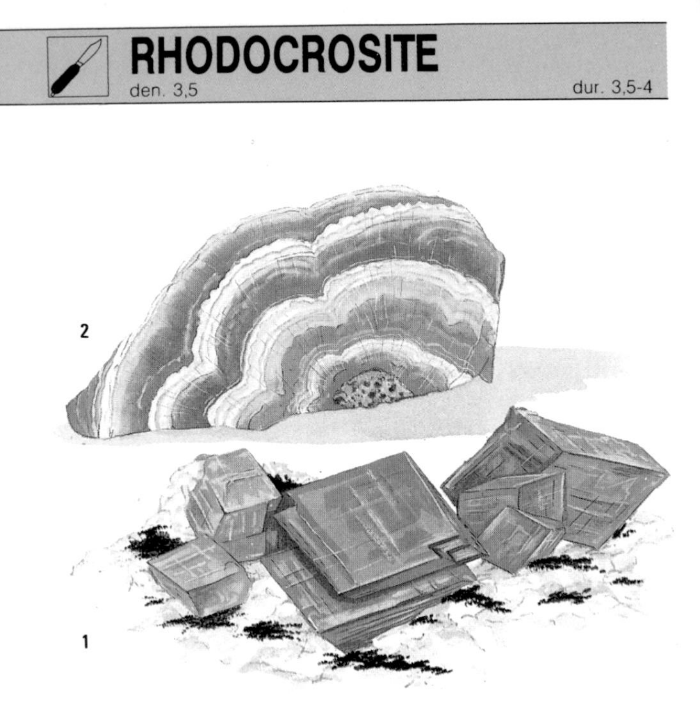

Rose, rouge clair à sombre, brune. Cristaux rhomboédriques ou scalénoédriques **(1)**, à faces souvent incurvées. Également en agrégats granuleux, rubanés ou massifs **(2)**, rayonnants, ou en incrustations botryoïdales. Associée à la chalcopyrite, la galène, la sphalérite, la tétraédrite et la bornite.

Translucide. Éclat vitreux à nacré. Clivage rhomboédrique parfait dans trois directions. Friable. Cassure irrégulière, esquilleuse. Trace blanche.

Minéral courant des veines hydrothermales, se rencontrant parfois dans les pegmatites. Accompagne les minerais d'argent, de plomb, de zinc et de cuivre à Freiberg (Allemagne) et en Transylvanie (Roumanie). Grands cristaux d'un rose soutenu dans l'Ariège ; Huelva (Espagne) ; Ljubija (ex-Yougoslavie).

Reconnaissable à sa teinte et à son clivage caractéristiques. La **rhodonite** est plus dure et son clivage n'est pas rhomboédrique.

DOLOMITE

dur. 3,5-4

den. 2,9

Incolore, blanche, rose, jaunâtre, verdâtre ou grise. Cristaux rhomboédriques à faces incurvées en « selle de cheval » **(1)**. Les variétés blanches à rosées accompagnent la galène, la sphalérite et la calcite. Parfois en agrégats granuleux, compacts ou massifs. Minéral constitutif de la dolomie (roche).

Transparente à translucide. Éclat vitreux à nacré. Clivage rhomboédrique parfait dans trois directions. Friable. Cassure conchoïdale à irrégulière.

Se trouve dans les terrains calcaires, sous forme de calcaire dolomitique ou dolomie, souvent au voisinage de talcschistes, serpentinites, pegmatites. Répandue. Beaux cristaux à Brosso-Traversella (Piémont, Italie) ; Binnental (Suisse) ; Freiberg (All.) ; dans les Cornouailles (Angleterre) et en Navarre (Espagne).

Cristaux bien moins courants et plus petits que ceux de la **calcite**, jamais scalénoédriques. Pierre de construction et usages industriels. L'ankérite est la variété ferrugineuse.

MALACHITE/AZURITE

den. 3,9 dur. 3,5-4

1

2

La malachite **(1)** est vert moyen à foncé. Cristaux plutôt rares ; prismes trapus ou aiguilles divergentes. Habituellement sous forme botryoïdale présentant, en coupe, des bandes concentriques de diverses nuances de vert en alternance avec des bandes d'azurite. L'azurite **(2)** est bleue, à grands cristaux rares tabulaires.

Translucide. Clivage parfait dans une direction. Friable. Éclat terne pour la malachite massive. Vitreux pour les cristaux d'azurite. Cassure conchoïdale (malachite), subconchoïdale (azurite).

Ces deux minéraux cuprifères sont toujours associés. Très courants dans les zones oxydées des gisements de cuivre natif à Chessy, Lyon ; Laurion (Grèce) ; Betzdorf (All.) ; Sardaigne (Italie).

La malachite se distingue par sa teinte et sa zonation. L'azurite est plus tendre que les autres minéraux bleus. Pierres décoratives une fois polies. Servaient jadis de pigments.

CUPRITE

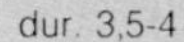

dur. 3,5-4 den. 6

Rouge rubis à brun rouge presque noir. Cristaux cubiques, octaédriques ou les deux à la fois. Souvent en aiguilles s'interpénétrant, sur cuivre natif ou tapissant des cavités, ou en agrégat massif. Presque toujours associée à d'autres minéraux cuprifères : malachite **(1)**, azurite ou limonite.

Translucide à transparente. Éclat submétallique ou adamantin. Clivage octaédrique imparfait. Friable. Cassure conchoïdale.

Se forme dans la zone supérieure de gîtes cuprifères, par oxydation. Beaux spécimens à Chessy, Lyon. Se trouve aussi à Redruth et Liskeard (Cornouailles, Angleterre) ; en Westphalie (All.) ; Sardaigne et Ligurie (Italie).

Important minerai de cuivre. Identifiable surtout grâce à ses associations. Cristaux rouge limpide parfois taillés en gemmes. La **zincite**, parfois rouge, n'est jamais associée à un minéral cuprifère.

WAVELLITE

den. 2,3 dur. 3,5-4

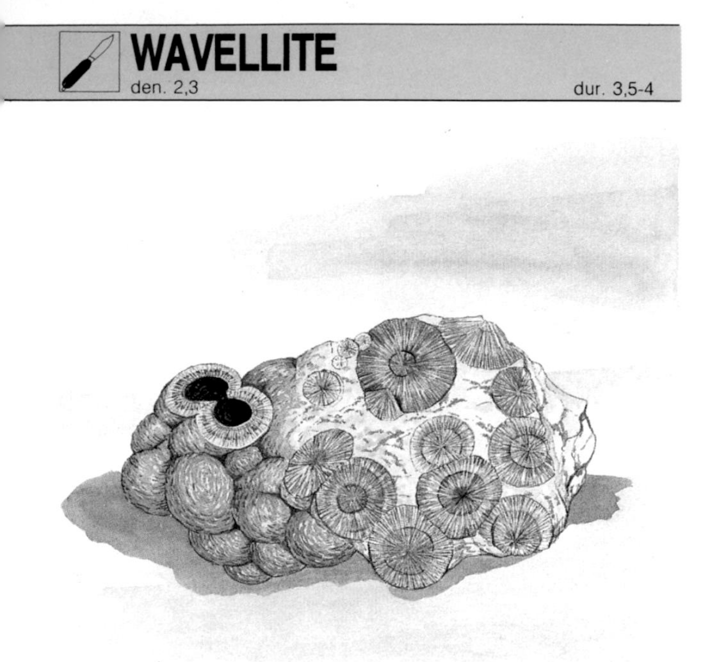

Blanche, grise, jaune, vert pâle ou brune. Cristaux prismatiques, rares. Habituellement sous forme de structures fibreuses rayonnantes, rosettes, ou d'incrustations botryoïdales sur des minéraux de formation plus ancienne. Associée au quartz, à la muscovite, à la turquoise et à la limonite.

Transparente à translucide. Éclat satiné. Clivage non apparent quand elle est sous forme fibreuse. Cassure irrégulière, souvent fibreuse.

Se forme à des températures peu élevées et se rencontre dans les fissures de roches riches en aluminium comme dans les gisements de phosphates. Abondante sous forme d'agrégats fibreux et rayonnants vert jaunâtre à Barnstaple (Devon, Angleterre). Se trouve aussi à Kinsdale et Clonmel (Irlande) ; Frankenberg (All.).

Les incrustations botryoïdales de wavellite peuvent ressembler à celle de la **calcédoine**, mais elles sont plus tendres. La wavellite entre parfois dans la composition des engrais.

PYROMORPHITE

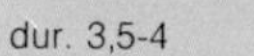

dur. 3,5-4 den. 6,7

Incolore, verte, vert jaunâtre ou brune. Cristaux en forme de prismes pleins ou creux, ou de tonnelets. Également en agrégats massifs ou en masses incrustantes. Associée à la vanadinite et à la mimétite, qui lui est très similaire, ainsi qu'à la barytine, la cérusite et la galène.

Translucide. Éclat terne à gras. Non clivable. Friable. Cassure irrégulière. Très lourde.

Se forme dans la zone oxydée des gîtes plombifères. Beaux cristaux verts dans les Cornouailles (Angleterre) et à Příbram (Rép. tchèque). Splendides spécimens à Clausthal-Zellerfeld (massif du Harz, All.), Leadhills (Écosse), Les Farges (Corrèze), Vézis (Aveyron).

Reconnaissable à sa couleur et à la forme de ses cristaux, souvent creux, leur éclat terne et leur opacité. Minerai de plomb secondaire, particulièrement prisé par les collectionneurs.

ARAGONITE

den. 2,9 dur. 3,5-4

Incolore, blanche, bleue, rose, verte, violette, jaune, brune ou noir bleuté. Cristaux cubiques souvent zonés **(1)** et maclés par interpénétration **(2)**, rarement octaédriques. Associée à la cassitérite, la topaze, la tourmaline, l'apatite ou à la barytine, au quartz et aux minerais de soufre.

Transparente. Friable. Éclat vitreux. Clivage octaédrique parfait dans quatre directions. Cassure conchoïdale.

Dans pegmatites et veines hydrothermales avec sulfures de plomb, zinc et argent. Répandue. Cubes roses : Saint-Gothard (Suis.) ; octaèdres vert pâle : Könsberg (Norv.), Chamonix. Cubes incolores ou violets sur galène : Cumberland, Derbyshire (Angl.) ; cristaux jaunes : Wölsenberg (All.) ; couleurs variables : Tarn, Morvan, Haute-Loire.

Identifiable à son clivage, ses cristaux cubiques, sa dureté. La **calcite** est plus tendre, le **quartz** bien plus dur. Les sculptures chinoises sont en fluorite et en quartz vert.

(Spath fluor) **FLUORITE**

dur. 4 den. 3,2

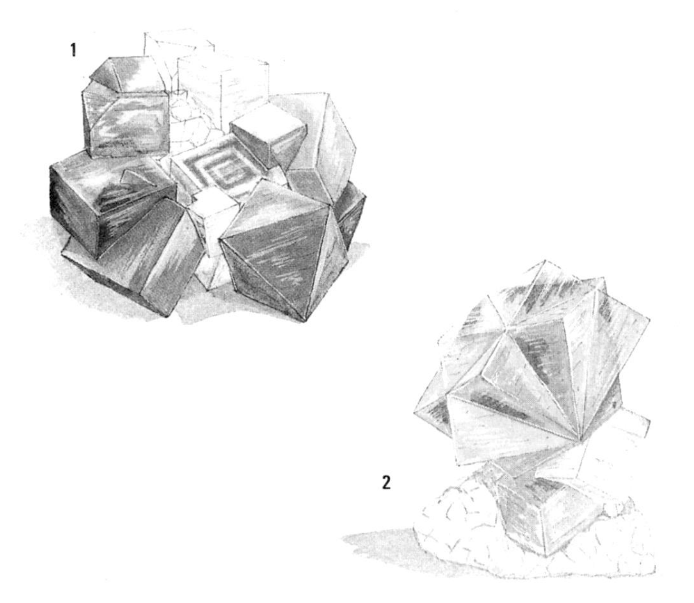

Incolore, blanche, bleue, rose, verte, violette, jaune, brune ou noir bleuté. Cristaux cubiques souvent zonés **(1)** et maclés par interpénétration **(2)**, rarement octaédriques. Associée à la cassitérite, la topaze, la tourmaline, l'apatite ou à la barytine, au quartz et aux minerais de soufre.

Transparente. Friable. Éclat vitreux. Clivage octaédrique parfait dans quatre directions. Cassure conchoïdale.

Dans pegmatites et veines hydrothermales avec sulfures de plomb, zinc et argent. Répandue. Cubes roses : Saint-Gothard (Suis.) ; octaèdres vert pâle : Könsberg (Norv.), Chamonix. Cubes incolores ou violets sur galène : Cumberland, Derbyshire (Angl.) ; cristaux jaunes : Wölsenberg (All.) ; couleurs variables : Tarn, Morvan, Haute-Loire.

Identifiable à son clivage, ses cristaux cubiques, sa dureté. La **calcite** est plus tendre, le **quartz** bien plus dur. Les sculptures chinoises sont en fluorite et en quartz vert.

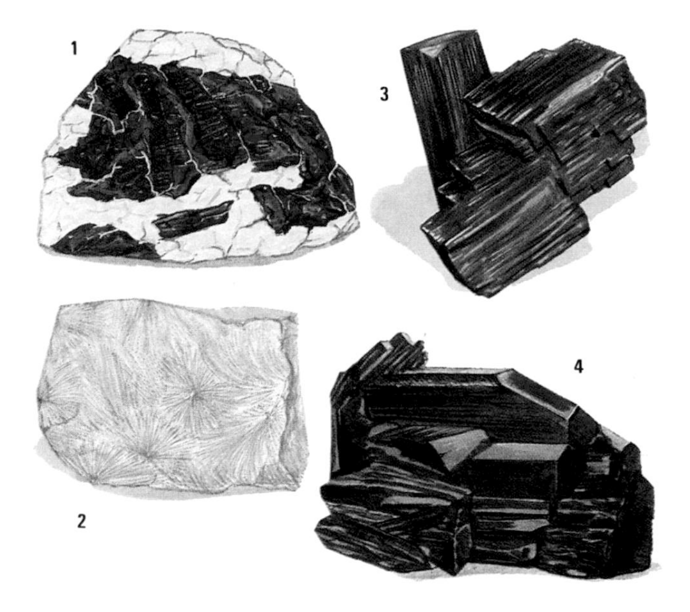

Zincite (1)
Minerai de zinc exploitable. Cristaux ou masses grenues ou compactes, pesantes, rouge sombre à orangé. Éclat adamantin. Clivage parfait. Dans les gîtes métamorphiques de contact à Bottino (Toscane, Italie), en Espagne et en Pologne.

Wollastonite (2)
Agrégats fibreux, aciculaires ou rayonnants de cristaux blancs à éclat nacré. Bon clivage. Dans les auréoles métamorphiques de contact de type calcaire et les zones de faible métamorphisme régional. Bretagne, Pargas (Finlande), Forêt Noire (All.).

Manganite (3)
Minerai de manganèse. Longs cristaux noirs profondément striés. Poids modéré. Éclat métallique. Clivage parfait. Veines hydrothermales à basse température, associée à la calcite et la barytine à Ilfeld (massif du Harz, All.).

Wolframite (4)
Principal minerai de tungstène. Dans les veines hydrothermales, granites, pegmatites et roches métamorphiques de contact. Cristaux prismatiques serrés gris sombre à noirs. Éclat métallique. Trace noire à brun-rouge. Enguialès (Aveyron), Montredon (Tarn).

SMITHSONITE

dur. 4,5-5 den. 4,4

Incolore, verte, vert pomme, bleue à vert bleuté, brune ou jaune. Cristaux indistincts. Rhomboèdres aux faces incurvées. Le plus souvent en masses botryoïdales mais aussi sous forme compacte, granuleuse ou incrustante. Minéraux associés : galène, cérusite, malachite et azurite.

Translucide. Éclat vitreux à nacré. Clivage rhomboédrique parfait dans trois directions. Friable. Cassure irrégulière, esquilleuse.

Se forme dans la zone supérieure de dépôts hydrothermaux massifs. Dans les mines de plomb en Turquie, Russie et dans les Alpes (Udine, Raibi). Magnifiques spécimens bleu-vert à Santander (Espagne) et Laurion (Grèce). Jaune pâle en Sardaigne, à Bergame et dans toute l'Italie.

Identifiable à sa forme botryoïdale et sa couleur. Important minerai de zinc. Plus dur et plus dense que la **calcite** et la **rhodocrosite**.

HÉMIMORPHITE

den. 3,4 dur. 4,5-5

Incolore, blanche, vert-bleu, jaunâtre ou brunâtre. Cristaux de petite taille, en fines lamelles, plaquettes ou en groupes divergents, en gerbe ou en éventail. Également en agrégats massifs **(1)**, botryoïdaux ou granuleux. Associée au gypse, à la smithsonite, à l'hématite et à la calcite.

Transparente à translucide. Éclat vitreux. Clivage prismatique parfait dans deux directions. Friable. Cassure irrégulière à conchoïdale.

Se rencontre dans les gîtes plombifères et zincifères, à des températures peu élevées. Les plus beaux cristaux viennent du Cumberland et du Derbyshire (Angleterre). On en trouve aussi à Olkus (Pologne), en Carinthie (Autriche), à Raibi et Udine (Italie).

Minerai de zinc. Identifiable surtout à ses cristaux finement lamellés. La **smithsonite** est plus dense.

(Cyanite) **DISTHÈNE**

dur. 5 et 7 den. 3,6

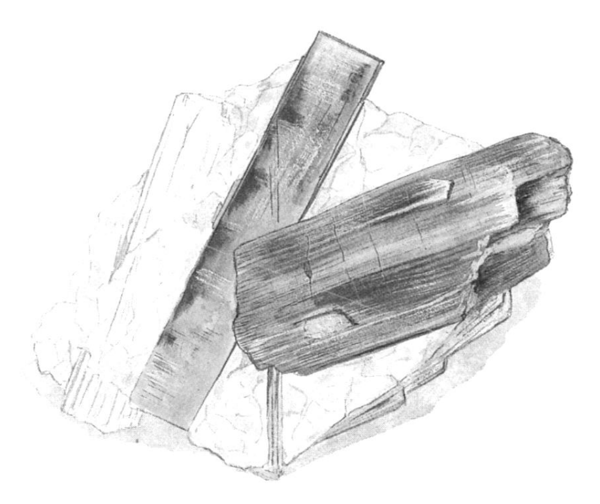

Bleu à blanc, mais aussi vert, jaune, rose, noirâtre. Distribution inégale de la couleur, en plages nuancées. Les cristaux se présentent sous forme de longues barres lamellées. Ils sont isolés ou regroupés, mais presque toujours enchâssés dans des roches.

Transparent à translucide. Éclat vitreux. Clivage parfait. Cassure fibreuse. Dureté variable : cristaux rayables au canif dans le sens longitudinal, mais pas transversalement.

Se rencontre dans les schistes et gneiss. Splendides cristaux bleus associés à de la staurolite à Pizzo Forno (Suisse). Le distène se trouve aussi dans le Morbihan; dans le Tyrol (Autriche).

Utilisé comme matériau réfractaire pour la fabrication de porcelaines, de briques réfractaires et de bougies de voitures. Difficile à confondre avec un autre minéral.

APATITE

den. 3,2 dur. 5

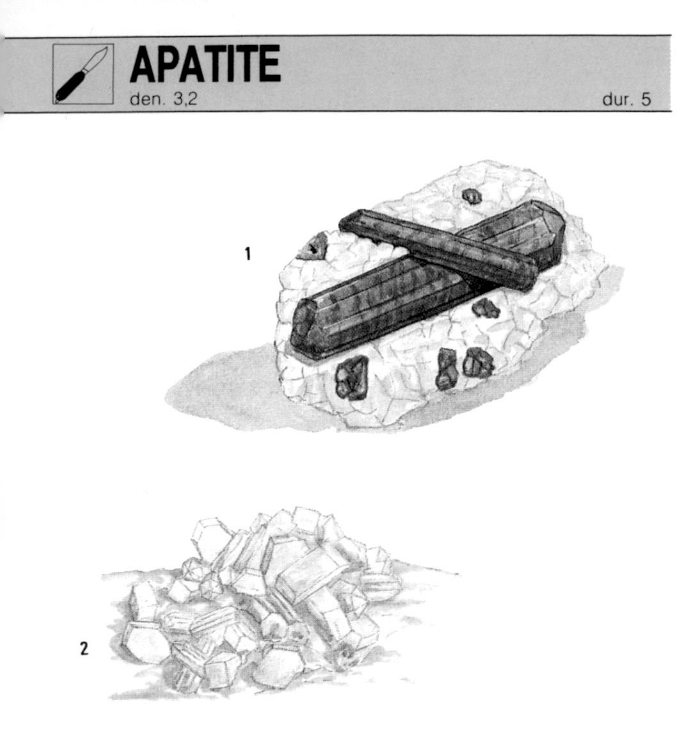

Incolore, verte, brune, jaune, violette, rose ou rouge. Cristaux communs, en prismes hexagonaux **(1)** ou tabulaires **(2)**. Agrégats massifs, granuleux ou compacts. Dans de nombreuses roches, en association avec : titanite, magnétite, néphéline, aegirine, andradite, phlogopite, ou albite et mica.

Transparente à translucide. Éclat vitreux ou gras. Clivage imparfait, parallèle à la base. Friable. Cassure irrégulière, conchoïdale.

Abonde dans les roches plutoniques, les dykes de pegmatites, les roches sédimentaires et roches provenant d'un métamorphisme de contact. Cristaux tabulaires bleus à Knappenwand (Autriche) ; célèbres cristaux violets d'Ehrenfriedersdorf (All.) ; cristaux du Laachersee (All.). Masses importantes à Alnö (Suède).

Facilement confondue avec d'autres minéraux. Mais le **béryl** est plus dur, les prismes de la **tourmaline** sont striés et non hexagonaux. L'apatite est le principal constituant de l'os.

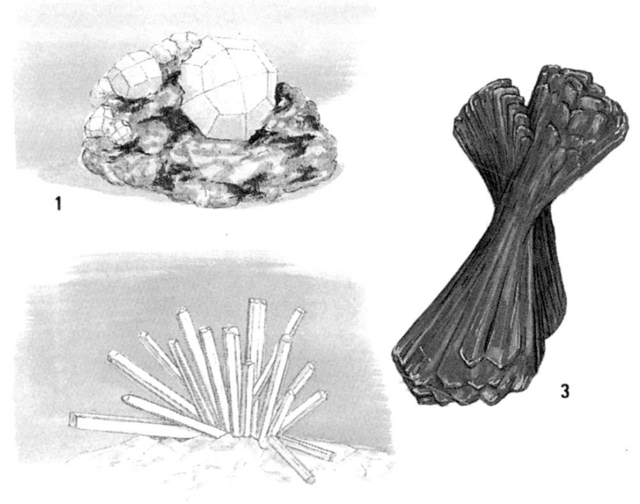

Les minéraux de ce groupe ont des compositions très voisines et se trouvent dans les cavités des basaltes. Ils peuvent se déshydrater sans que leur structure cristalline en soit modifiée.

Analcime (1)
Dur. 5-5,5 Incolore, blanche ou verdâtre. Cristaux trapézoédriques tapissant des druses basaltiques. Islande, îles Cyclopes (Sicile), Aveyron.

Natrolite (2)
Dur. 5-5,5 En aiguilles ou agrégats rayonnants blancs ou incolores. Transparente à translucide. Bon clivage prismatique, cassure irrégulière. Puy de Marman (Puy-de-Dôme); Antrim (Ulster).

Stilbite (3)
Dur. 3,5-4 Blanche, grise ou brun-rouge. Agrégats en gerbes uniques parmi les zéolites. Transparente à translucide. Clivage parfait. Se trouve dans l'île de Skye (Écosse) et en Islande.

AUTRES MINÉRAUX (5-6)

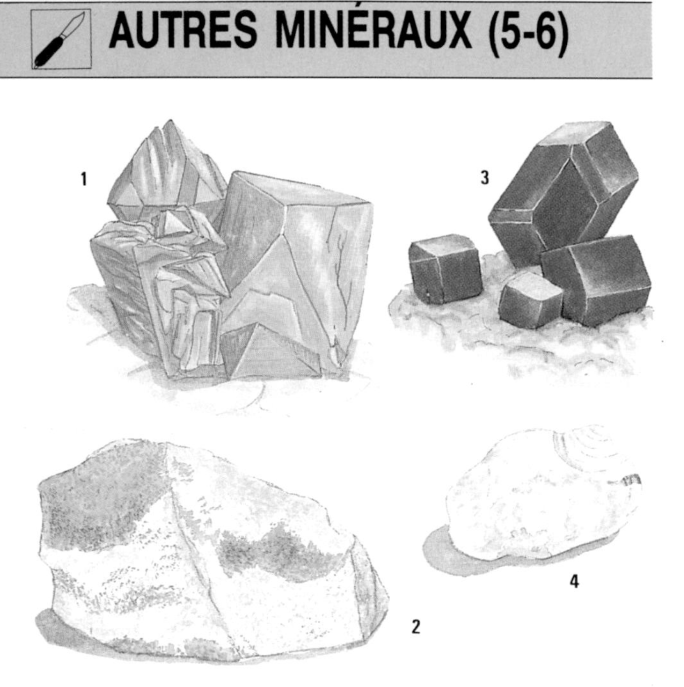

Scheelite (1)
Jaune, grise ou gris rougeâtre. Associée à la cassitérite et la wolframite dans pegmatites et veines hydrothermales. Lourde. Éclat adamantin. Cristaux : pseudo-octaèdres. Bon clivage. Trace blanche. Cornouailles (Angleterre) ; Zinnwald (All.) ; Traversella (Italie) ; Ariège.

Turquoise (2)
Légère, massive, bleu pâle. Clivage basique parfait. Éclat cireux. Issue de l'altération de roches ignées riches en aluminium. Creuse ; St Austell (Cornouailles, Angleterre) ; Messbach (Saxe, All.).

Dioptase (3)
Vert émeraude vif. Cristaux rhomboédriques. Très prisée. Bon clivage. Éclat adamantin. Accompagne d'autres minéraux cuprifères. Băita (Roumanie).

Opale (4)
Du blanc laiteux de la « geysérite » au rouge orangé de l'« opale de feu » ou bleu sombre de l'« opale noble ». Encroûtements amorphes et veines. Clivage nul. Éclat gras. Cervenica (Rép. tchèque) ; Caernowitza (Hongrie) ; Geysir (Islande) ; Puy-de-Dôme.

GOETHITE

dur. 5-6 den. 4,3

Jaune, brun-jaune, brun-rouge à noire. Les cristaux sont des prismes striés longitudinalement. Se présente le plus souvent sous forme de masses botryoïdales **(1)** à structure interne fibreuse et rayonnante. Mais elle peut aussi être lamellaire, terreuse, columnaire ou feuilletée.

Opaque. Transparente en lames minces. Éclat terne, satiné à métallique. Clivage parfait dans une direction. Cassure fibreuse. Trace brun orangé.

Issue de l'altération de minéraux ferrugineux, se formant par précipitation dans des lagunes ou marais (fer des marais). Gisements importants en Lorraine, à Chaillac (Indre), Kaymar (Aveyron) et en Westphalie (All.). Les cristaux lamellaires forment des rosettes en Thuringe (All.) et dans les Cornouailles (Angleterre).

Principal constituant de l'oxyde ferrique ocre-brun qualifié de limonite **(2)**. Important minerai de fer, se distinguant de l'**hématite** par la couleur de sa trace et par sa structure.

AMPHIBOLES

den. 3,2 dur. 5-6

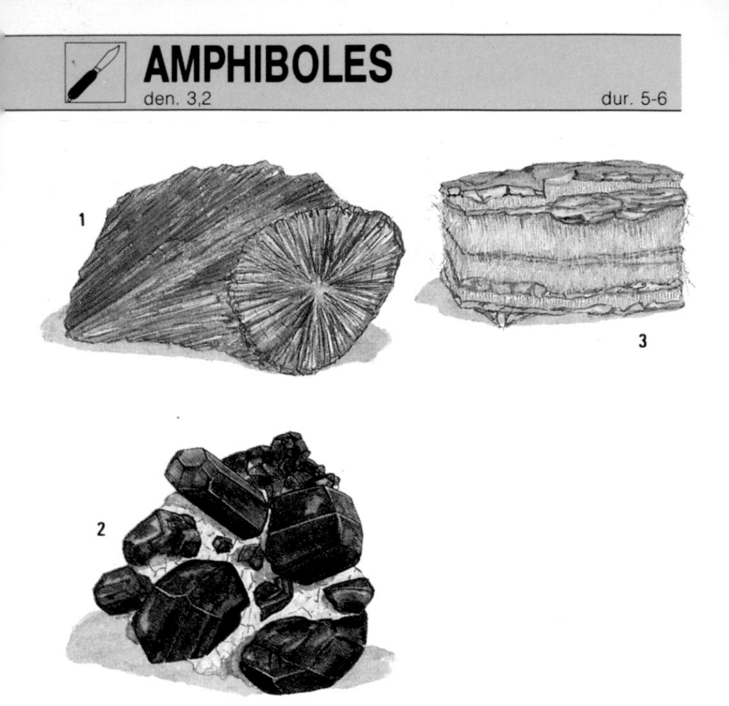

Vaste groupe de minéraux constitutifs de roches, en prismes trapus ou effilés, agrégats, ou fibres feutrées comme celles de l'asbeste. La trémolite est incolore à blanche, l'actinolite **(1)** vert clair à sombre, l'hornblende **(2)** verte, brune ou noire. La crocidolite **(3)** est fibreuse.

Transparentes à translucides. Éclat vitreux. Identifiables à deux bons clivages prismatiques se coupant à 60 et 120°. Cassure subconchoïdale à irrégulière ou fibreuse.

L'actinolite-trémolite se trouve dans les calcaires, gneiss, serpentinites et schistes métamorphisés des Alpes. L'hornblende est courante : Greiner, Zillertal (Autriche); Pernio, Pargas (Finlande). Riebeckite en Galice (Espagne); crocidolite (asbeste bleue) à Framont; glaucophane dans l'île de Groix.

Les plans de clivage des **pyroxènes** se coupent à 90°, leurs cristaux sont plus trapus. La **tourmaline** n'est pas clivable. La **jadéite** (seconde source de jade) est bien plus dure.

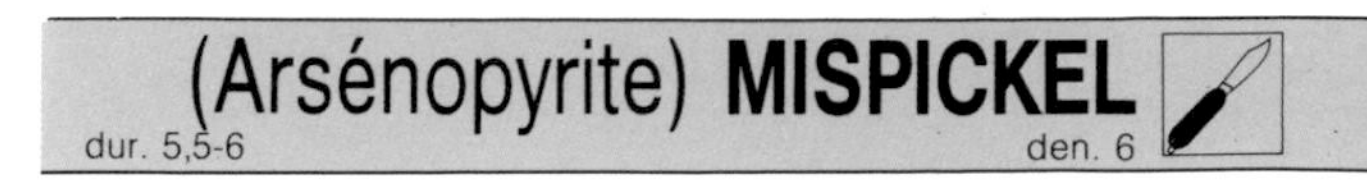

(Arsénopyrite) MISPICKEL

dur. 5,5-6 den. 6

Blanc argenté à gris acier. Cristaux fréquents : prismes effilés à faces striées ; macles en fer de lance. Se présente aussi en masses columnaires, granuleuses, compactes ou botryoïdales. Associé au quartz, à la chalcopyrite et à l'or natif ; dans les pegmatites, aux grenats et plagioclases.

Opaque. Éclat métallique. Clivage prismatique indistinct. Friable. Cassure irrégulière. Produit des étincelles et dégage une odeur d'ail quand on le frappe au marteau.

Se forme à des températures modérées à élevées dans les veines de quartz aurifère et/ou de cassitérite et dans certains gîtes métamorphiques. Beaux cristaux à Boliden (Suède) ; Freiberg (All.) ; dans les Cornouailles (Angleterre) ; Mt Sulitjelma (Norvège).

C'est à la forme de ses cristaux qu'il est le plus aisément identifiable. Principal minerai d'arsenic, exploité autant pour sa teneur en arsenic que pour ses sous-produits : or, argent, cobalt.

FELDSPATHS

den. 2,7 dur. 6

1

2

Incolores, blancs, gris ou verts. Cristaux prismatiques ou tabulaires, souvent de grande taille (dans granite, pegmatite, porphyre ou gabbro), parfois maclés. Également en petits grains d'orthose **(1)** blancs ou roses mélangés à de l'albite blanche ou grise et/ou du microcline **(2)** vert.

Transparents (sanidine) à translucides. Éclat vitreux. Cassure conchoïdale. Deux bons clivages. Figurent parmi les feldspaths : orthose, microcline, albite, labrador, anorthite et sanidine.

Principaux constituants de la plupart des roches ignées et métamorphiques. Orthose à Baveno (It.) et Carlsbad (Rép. tchèque) ; microcline en Sardaigne, albite dans les Alpes occ. suis. et autr. Labrador en Nor. (reflets bleus chatoyants, pierre d'ornement). Sanidine sur l'île d'Elbe, en Sicile ; Mont-Dore.

L'amazonite, un microcline vert, est utilisée en joaillerie et pour émailler les céramiques. La **calcite** est bien plus tendre et soluble. Le **quartz**, plus dur, n'est pas clivable.

Blanche, grise, bleue, violette, verdâtre, parfois rose. Cristaux dodécaédriques, rares. Se présente habituellement en masses importantes **(1)** ou sous forme compacte, nodulaire ou granuleuse. En association avec d'autres feldspatoïdes, la néphéline et la leucite. Belle pierre d'ornement.

Transparente à translucide. Éclat vitreux ou gras. Clivage imparfait sur dodécaèdre, dans six directions. Friable. Cassure irrégulière à conchoïdale.

Se rencontre dans les roches ignées profondes, notamment les syénites et pegmatites. Monte Summa et Vésuve (Italie) ; Langesund (Norvège) ; Laachersee (All.). Accompagne leucite et néphéline sur le Vésuve et environs du Lac Albano (Latium, Italie).

La sodalite se distingue par son bleu outremer. La leucite **(2)** ne se trouve que dans les laves. La néphéline **(3)** possède trois plans de clivage parfait et un éclat gras.

MAGNÉTITE

den. 5 dur. 6-6,5

De couleur noire. Cristaux octaédriques bien développés. Plus rarement cubiques ou octaédriques. Quelques macles. Également en masses compactes ou granuleuses à irisations bleutées. Parfois associée à l'andratite, au talc, à la calcite, la chlorite, la barytine et la fluorite.

Opaque. Éclat métallique. Clivage nul, séparation octaédrique imparfaite (dans quatre directions). Friable. Cassure irrégulière. Magnétisme élevé (aimant naturel). Trace noire.

Répandue. Se trouve dans un certain nombre de roches ignées, sédimentaires et métamorphiques. Importants gisements à Kiruna (Norvège). Splendides cristaux à Binnental (Suisse); Pfitschtal (Autriche); Val di Vizze, Bolzano et volcans du Latium (Italie).

Se distingue des autres minéraux ferreux par son magnétisme élevé et sa trace noire. Le spinelle est un minéral voisin, à cristaux similaires mais plus durs (gemmes rouges).

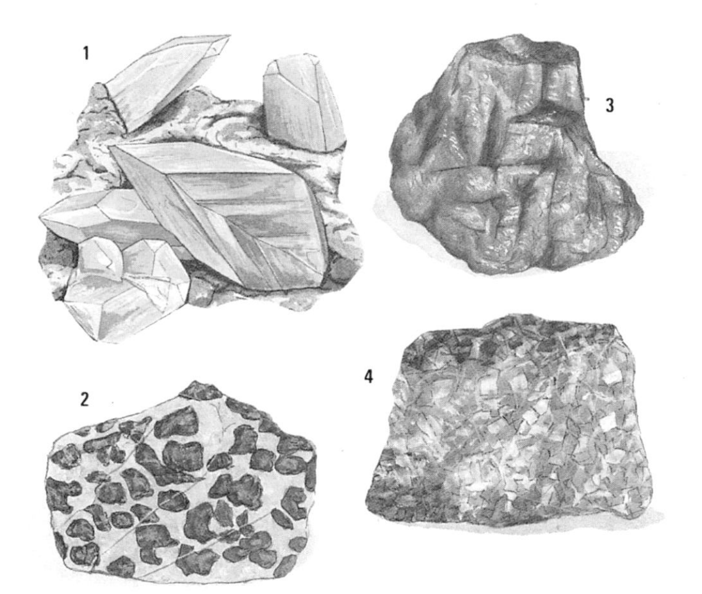

Sphene/Titanite (1)
Cristaux cunéiformes bruns, vert-gris, jaunes, noirs. Éclat adamantin. Deux bons clivages. Trace blanche. Dans les granites à Tavistock (Devon, Angleterre); dans gneiss et schistes à Arendal (Norvège); fentes alpines en France.

Chromite (2)
Principal minerai de chrome. Masses granuleuses noires de cristaux octaédriques. Lourde. Clivage nul, cassure inégale. Opaque, métallique. Trace brun foncé. Dans la péridodite, la serpentinite et les placers. Aveyron.

Nickélite/Kupfernickel (3)
Important minerai de nickel. Rouge cuivre pâle. Massive, à patine gris-noir. Éclat métallique. Non clivable. Trace noir brunâtre. Freiberg (Saxe, Allemagne).

Rhodonite (4)
Masses fibreuses ou granuleuses rose soutenu veinées de noir (oxydes de manganèse). Cristaux tabulaires, rares. De densité moyenne. Vitreuse. Translucide. Clivage parfait à 90°. Dans les auréoles métamorphiques de contact de calcaires impurs. Långban et Pajsberg (Suède). Prisée en joaillerie.

PYROXÈNES

den. 3,4 dur. 5-7

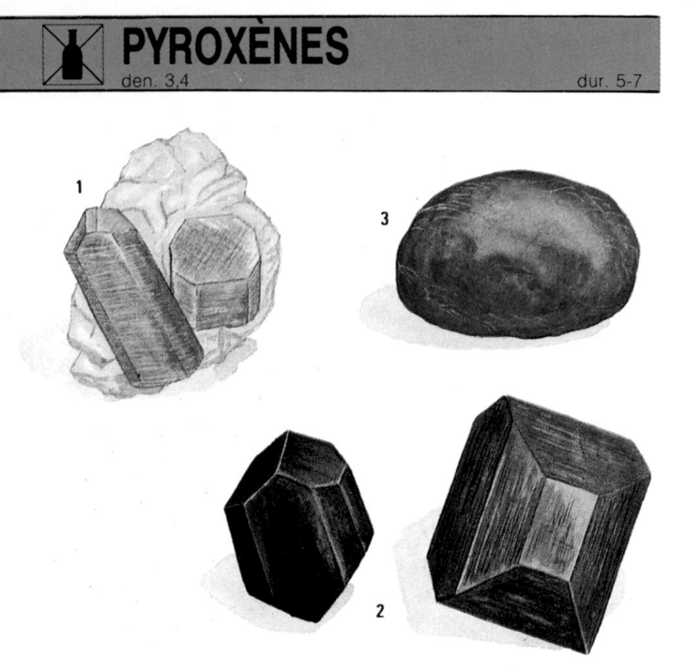

La diopside **(1)** forme souvent de grands cristaux blancs, vert clair à sombre ou bruns, de section transversale octogonale, enchâssés dans du marbre. L'augite **(2)** des cristaux verts, bruns ou noirs ou des agrégats granuleux ou massifs. La jadéite **(3)** des galets roulés ou masses feutrées.

Translucide à opaque. Éclat vitreux. Cassure irrégulière ou fibreuse. Deux clivages prismatiques parfaits à 90°. La jadéite est le plus dur des pyroxènes.

Répandue, la diopside se trouve dans les cornéennes et marbres de Zillertal (Autriche); à Nordmarken (Suisse) et en Italie. L'augite abonde dans les gabbros, péridotites, pyroxénites, basaltes et autres roches volcaniques : Vésuve, Etna, Stomboli (Italie); Auvergne. La jadéite (île de Groix) et l'aegirine sont rares.

Amphiboles plus tendres, à clivage différent. Le jade de la variété néphrite est plus tendre. **Tourmaline** et **olivine** ne sont pas clivables.

SCAPOLITES

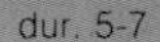

dur. 5-7 den. 2,6

Groupe de minéraux allant de la méionite à la marialite. Souvent sous forme de prismes quadratiques à stries longitudinales prononcées, ou de masses fibro-granuleuses. Couleurs variables : blanc, bleu, gris, rose, violet, jaune ou rouge. Trace blanche.

Transparentes à opaques. Éclat vitreux à nacré. Cassure subconchoïdale. Clivage net.

Minéraux se formant essentiellement dans les auréoles métamorphiques de contact de calcaires et skarns impurs ou schistes, gneiss et amphibolites issus d'un métamorphisme régional. Ou dans les pegmatites. Alpes centrales, lac Tremorgio (Suisse). Mte Somma, Pianura, Naples, île d'Elbe (Italie).

Identifiables sur le gisement à leur trace blanche et leur forme. Se distinguent des **zéolites** par la dureté. Minéraux constitutifs de roches dignes d'intérêt. Quelques variétés précieuses.

OLIVINE

den. 3,5 dur. 6,5

Jaunâtre à vert olive. En grains prismatiques trapus ou en masses **(1)** granuleuses compactes. Les cristaux isolés **(2)** sont rares et quelquefois déjà altérés en serpentine. Le groupe de l'olivine inclut la forstérite et la fayalite. Le péridot est une olivine taillée.

Transparente à translucide. Éclat vitreux. Cassure conchoïdale, irrégulière. Clivage indistinct, dans deux directions, à angle droit.

Constituant essentiel des gabbros, péridotites, basaltes. Les dunites renferment 90 % d'olivine. Dans certains calcaires métamorphisés, jamais dans les roches avec du quartz pur. Dans les porphyres basaltiques des Mts Mourne (Ulster) ; Vésuve (Italie) ; Forstberg (All.). Péridots : Égypte, Açores, Puy-de-Dôme et Haute-Loire.

Identifiable à sa teinte. L'**épidote** n'a qu'un seul clivage parfait, le **grossulaire** n'en a pas, l'**apatite** est plus tendre, la **tourmaline** n'est pas dans les gabbros ou basaltes.

PYRITE

dur. 6,5 den. 5,1

Jaune laiton pâle. Les cristaux sont de simples cubes **(1)** ou des dodécaèdres pentagonaux à faces courbes, striées, souvent maclés **(2).** Parfois octaédriques; souvent en agrégats granuleux ou aciculaires rayonnants **(3).**

Opaque. Éclat métallique. Non clivable. Friable. Cassure irrégulière. La pyrite est souvent un produit de remplacement de fossiles.

Se forme dans tous types de roches, veines et gîtes hydrothermaux, associée à l'or natif et à la chalcopyrite. Répandue. Gros cristaux à Rio Tinto (Espagne); Mt Sulitjelma (Norvège); Falun (Suède). Pyritoèdres à Rio Marina, Livourne (Italie). Cubes striés à Gavorrano, Grosseto (Italie); Pyrénées-Orientales.

Dénommée «or des fous» en raison de sa ressemblance avec l'**or** qui est bien plus dense, plus tendre, non friable et non strié. La marcassite **(4)** a des cristaux sagittés, plus pâles.

RUTILE

den. 4,3 dur. 6,5

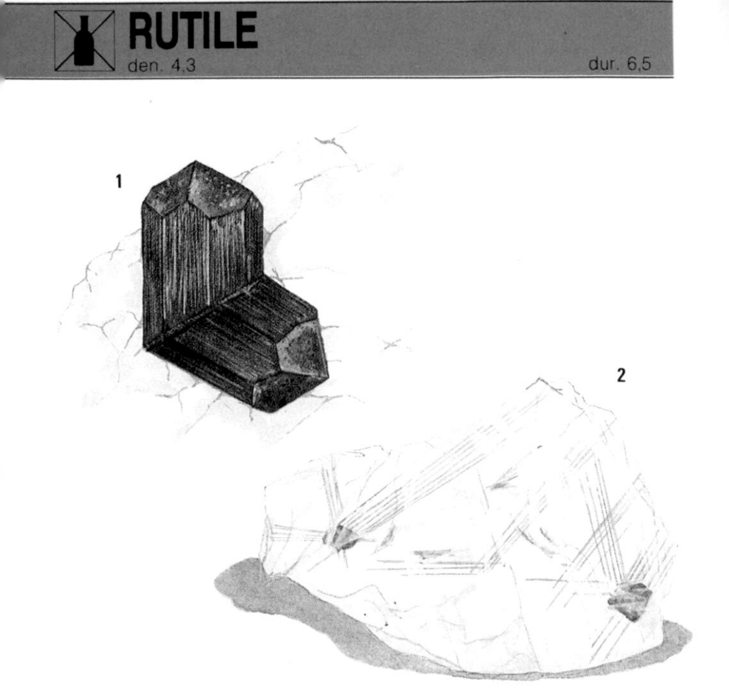

Doré à brun rougeâtre, rouge, brun ou noir. Cristaux prismatiques longs, effilés ou aciculaires; macles en genou **(1)** ou rosettes. Forme aussi des agrégats massifs ou granuleux. Aiguilles dorées à rougeâtres très fines, souvent en inclusion dans des cristaux de quartz **(2)**.

Translucide à transparent. Gros cristaux presque opaques. Éclat métallique vif. Clivage prismatique net. Friable. Cassure irrégulière.

Se forme dans les roches plutoniques et métamorphiques, et dans les gîtes hydrothermaux. Cristaux à Graz (Autriche) et au Saint-Gothard (Suisse); associés à de l'apatite en Norvège. Quartz renfermant des aiguilles de rutile dans le Tessin (Suisse).

Se distingue par sa forme caractéristique et l'éclat de ses cristaux striés. Source de titanium, utilisé dans les pigments. La **cassitérite** est plus lourde, moins brillante, non striée.

PYROLUSITE

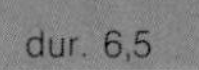

dur. 6,5 — den. 4,9

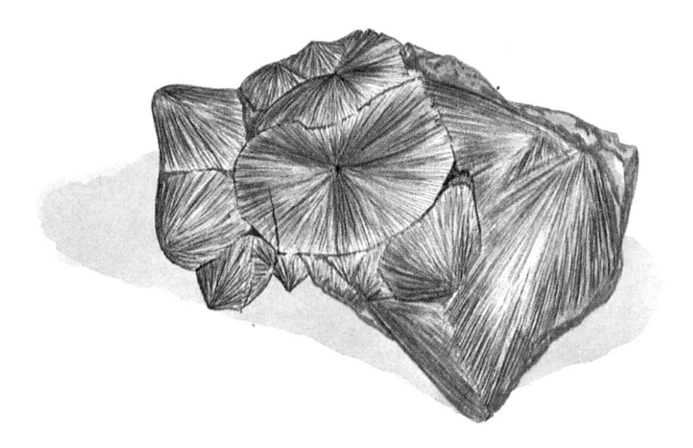

Gris acier à noire. Se rencontre couramment sous forme d'agrégats rayonnants ou divergents, columnaires, fibreux, massifs, granuleux ou terreux. Cristaux prismatiques, rares. Associée à la barytine, l'hématite, la calcite et autres minéraux riches en manganèse.

Opaque. Éclat métallique à terne. Clivage prismatique parfait. Friable. Cassure irrégulière. Trace noire bleuâtre. Seuls les cristaux isolés sont durs.

Se forme dans les dépôts hydrothermaux et sédimentaires. Le plus répandu de tous les minéraux renfermant du manganèse, mais lieux de récolte limités. Se trouve à Platten (Bavière, All.).

Seuls les cristaux bien développés sont reconnaissables. Sinon, elle est presque impossible à distinguer à l'œil nu des autres minéraux riches en manganèse. Alliages, chimie.

CASSITÉRITE

den. 7,0 dur. 6,5-7

Brune, jaune, brun rougeâtre, presque noire, parfois zonée. Les cristaux les plus courants sont des prismes quadratiques, parfois des pyramides, souvent maclés en genou. Aussi sous forme de galets roulés (« étain alluvionnaire ») ou botryoïdale à zones concentriques ou à structure fibreuse et rayonnante (« étain de bois »).

Transparente à translucide. Éclat gras à terne. Clivage prismatique net. Fragile. Cassure irrégulière. Lourde.

Typiquement localisée dans les pegmatites et veines hydrothermales, les principaux gisements étant toutefois sédimentaires. Beaux cristaux à La Villeder (Morbihan), dans l'Erzgebirge (All.) et en Rép. tchèque. Exploitée dans les Cornouailles (Angleterre). Aussi sur l'île d'Elbe (Italie).

Sa densité la distingue des autres minéraux. Principale source d'étain, utilisé pour fabriquer le bronze.

ZIRCON

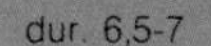

dur. 6,5-7 den. 4,5

Incolore, brun, vert, gris, jaune, rouge, bleuâtre. Cristaux en prismes quadratiques courts à extrêmités pyramidales ou bipyramidales. Également sous forme de blocs ou grains dans les sables marins. Associé à l'orthose, la biotite, l'albite et l'amphibole.

Transparent (variété précieuse) à translucide. Éclat adamantin, parfois terne. Clivage prismatique imparfait dans deux directions. Friable. Dur. Cassure conchoïdale. Lourd.

Courant dans les granites, syénites, pegmatites et certains calcaires. Cristaux dans le Tyrol autrichien, Loch Garvee (Écosse) et Kragerö (Norvège)

Se distingue par son poids, sa dureté, sa section quadratique. Plus dense que la **vésuvianite.** Gemmes parfois obtenus par échauffement.

HÉMATITE

den. 5,1 dur. 6,5-7

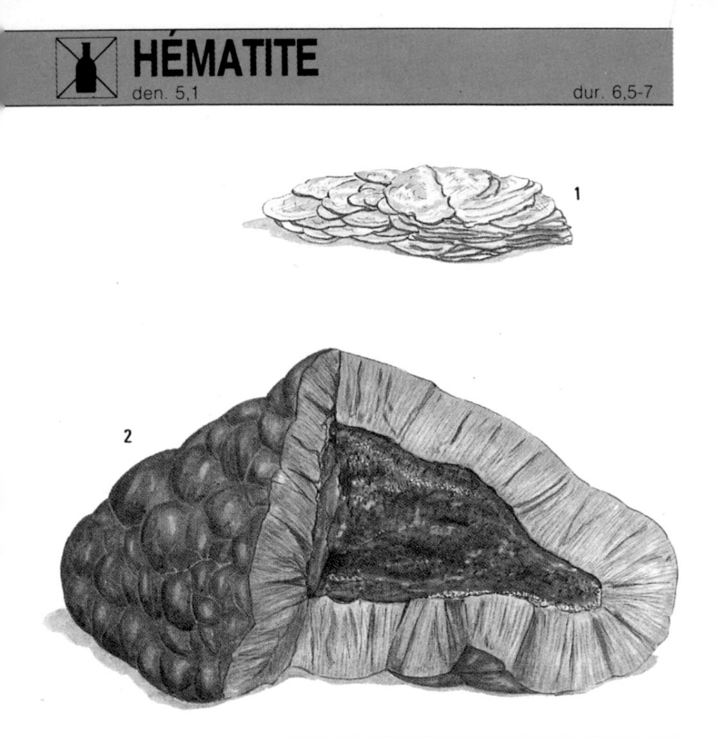

Grise, rouge, brun-rouge ou noire. Cristaux en lames minces ou épaisses, hexagonales, en tablettes ou en « roses », rarement bien développés. Également sous forme écailleuse **(1)**, mamelonnée **(2)**, botryoïdale, micacée ou terreuse (ocre rouge). L'un des minéraux les plus courants.

Opaque. Éclat métallique à terne. Non clivable. Friable. Cassure irrégulière, esquilleuse. Translucide et rouge en lames minces. Trace rouge vif à sombre. Peu magnétique.

Les principaux gisements sont à l'origine sédimentaire, bien que l'hématite soit aussi présente dans de nombreuses roches ignées et laves. Splendides cristaux noirs sur l'île d'Elbe (Italie) et le Cumberland (Angleterre). Roses alpines typiques du Saint-Gothard et du Binnental (Suisse).

Principal minerai de fer, bien que la **magnétite** soit plus riche en fer. Sa trace rouge caractéristique et sa teinte la distingue d'autres minerais et minéraux ferreux.

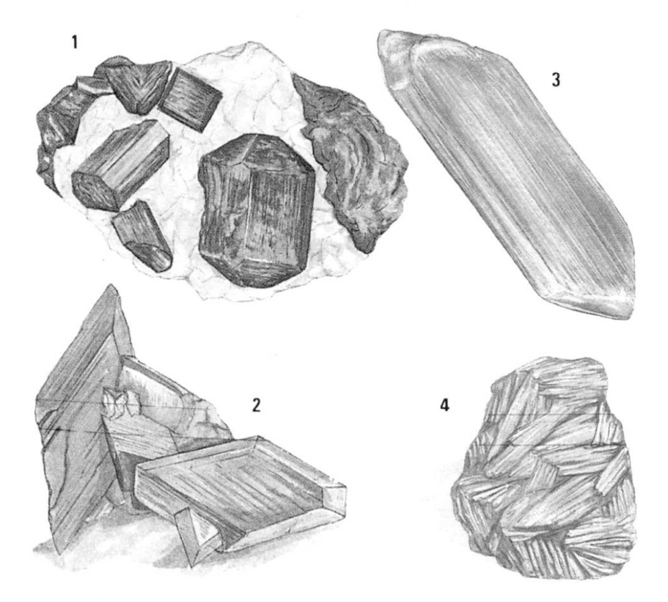

Idocrase/Vésuvianite (1)
Cristaux prismatiques trapus à extrémités pyramidales. Brune, vert olive, jaune. Cassure conchoïdale. Opaque, vitreuse, trace blanche caractéristique. Dans les skarns métamorphiques de contact, avec grenats. Vésuve (Italie) ; Norvège.

Axinite (2)
Cristaux brun-violet caractéristiques, en forme de hache. Vitreuse, trace incolore. Dans les roches métamorphiques de contact à Bourg d'Oisans ; dans les Cornouailles (Angleterre). Utilisée en joaillerie.

Spodumène (3)
Important minerai de lithium. Cristaux en barres striées. Blanc, jaune, gris, rose ou vert. Translucide, vitreux. Dans les pegmatites renfermant du lithium, en Écosse et Norvège.

Sillimanite (4)
Longs cristaux gris, bruns, vert pâle ou masses fibreuses. Transparente, vitreuse. Clivage parfait. Dans les roches issues d'un métamorphisme régional à des températures élevées et les pegmatites en Bohême (Rép. tchèque) ; Bavière et Saxe (All.) ; Haute-Loire, Bretagne.

QUARTZ

den. 2,65 dur. 7

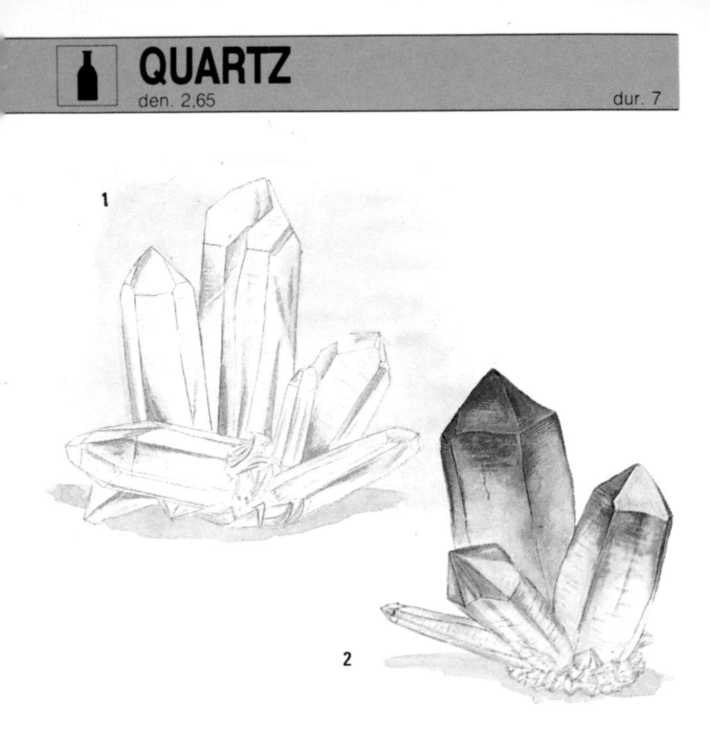

Incolore (cristal de roche, **1**), blanc (quartz laiteux), rose, jaune (citrine), violet (améthyste, **2**), noir brunâtre (quartz fumé). Prismes hexagonaux terminés par des faces rhombiques, ou grains, ou forme massive. La variété «œil de tigre» renferme des fibres d'asbeste brun-jaune.

Éclat vitreux ou gras. Non clivable. Cassure conchoïdale. Prismes striés horizontalement. Dur. Renferme souvent des paillettes de mica ou d'hématite, comme dans l'aventurine.

Constituant essentiel des granites, felsites, diorites, pegmatites, grès, etc., présent dans les rhyolites, les roches métamorphiques de contact, gneiss, schistes et filons. Quartz fumé et cristal de roche dans le Dauphiné. Cristal de roche et quartz laiteux dans les Alpes. Améthyste en Bretagne et Puy-de-Dôme.

Le **béryl** incolore est plus dur, non strié, à clivage imparfait. Les **feldspaths** sont plus tendres, bien clivables. La **topaze** est plus dure avec de bons clivages. La **fluorite** plus tendre.

CALCEDOINE

dur. 7 den. 2,65

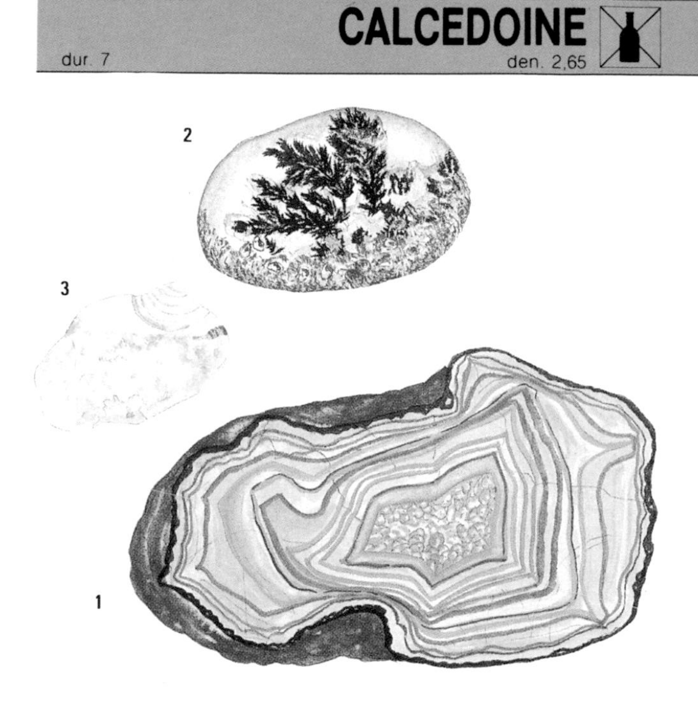

Variété de quartz microcristalline, compacte, bleuâtre ou panachée. En nodules **(1)** ou incrustations botryoïdales. Nombreuses variétés : chrysoprase vert pomme, cornaline et sardoine brun-rouge, plasma vert sombre tâché de rouge, agate **(2)** zonée, onyx rubané, silex dans craie.

Transparente à translucide. Éclat gras, terne ou cireux. Friable à dure. Cassure conchoïdale.

Forme des précipités microcristallins. Se rencontre dans les dépôts hydrothermaux, sous forme d'amygdales dans les basaltes islandais. Agate dans le Tarn. Les agates colorées se trouvent à Idar-Oberstein (All.); la chrysoprase et le jaspe dans le Tyrol et en Saxe ; l'onyx en Turquie.

L'opale **(3)** est une pierre précieuse assez voisine, mais plus tendre que le **quartz** et ne formant pas de cristaux. À éclat nacré. Soluble dans l'eau, forme veines ou amas globulaires.

ÉPIDOTE (Pistachite)

den. 3,4 dur. 7

Jaune ou de toutes les nuances de vert jusqu'à noir brunâtre; très courante. Longs prismes effilés souvent terminés par deux pans coupés. Fines incrustations cristallines de couleur pâle ou agrégats massifs ou granuleux. Couleur changeante selon l'orientation des cristaux.

Transparente à translucide. Éclat vitreux. Clivage parfait, dans le sens longitudinal des prismes. Friable. Cassure irrégulière.

Dans les roches ignées et métamorphiques altérées, les pegmatites, les calcaires transformés par un métamorphisme de contact. Remarquables cristaux vert sombre à Untersulzbachtal (Autriche). Beaux cristaux à Bourg d'Oisans (Isère); Arendal (Norvège).

Couleur et forme très caractéristiques. L'**actinolite** possède deux clivages se coupant à 120°, la **tourmaline** n'est pas clivable. Aucune des deux ne présente cette variation de teinte.

(Staurolite) **STAUROTIDE**

dur. 7 den. 3,7

1

Brun jaunâtre ou brun rougeâtre à noire. Forme des cristaux prismatiques à section transversale hexagonale. Les prismes sont souvent maclés à 60° ou 90°, formant des croix régulières **(1)**. Devient grise en s'altérant. Associée à l'albite et la biotite.

Translucide à opaque. Éclat vitreux ou terne. Clivage imparfait, dans le sens longitudinal des cristaux. Friable. Cassure irrégulière à subconchoïdale.

Incluse dans gneiss et schistes cristallins. Beaux cristaux isolés à Coray (Finistère) ; Aschaffenburg (Bavière, All.) ; Milltown, Inverness (Écosse) et Killiney, Dublin (Eire).

Aisément identifiable à sa teinte, sa forme et sa localisation. La **sillimanite** qui lui est associée a la même composition mais forme des masses fibreuses claires enchâssées dans les roches.

GRENATS

den. 4 dur. 6,5-7,5

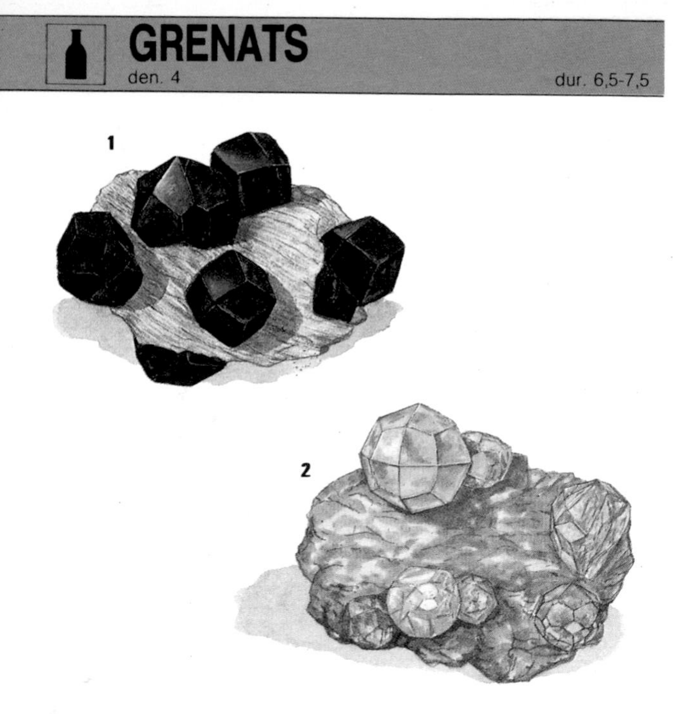

Il existe plusieurs variétés de grenats, très voisines : l'almandin **(1)** rouge vineux, le pyrope rouge violacé, la spessartite rouge orangé, le grossulaire **(2)** jaune à vert pâle, l'andratite noir brunâtre et l'uvavorite vert émeraude. Toutes reconnaissables à leurs cristaux trapus à 12 faces.

Transparents à translucides. Éclat vitreux. Cassure irrégulière à conchoïdale; parfois grenue. Non clivables. Parfois, séparation indistincte.

Almandin dans les diorites, ou avec andalousite dans les cornéennes (Norvège); grossulaire avec vésuvianite dans calcaires des Alpes occ.; spessartine dans pegmatites et schistes bleus; antratite dans pegmatites ou skarns; uvavorite dans la serpentine. Micaschiste dans l'Esterel et les Pyrénées.

Les variétés transparentes sont largement utilisées comme pierres précieuses; l'almandin comme abrasif. Faciès cristallin caractéristique. L'**apatite** est plus tendre, le **zircon** plus dense.

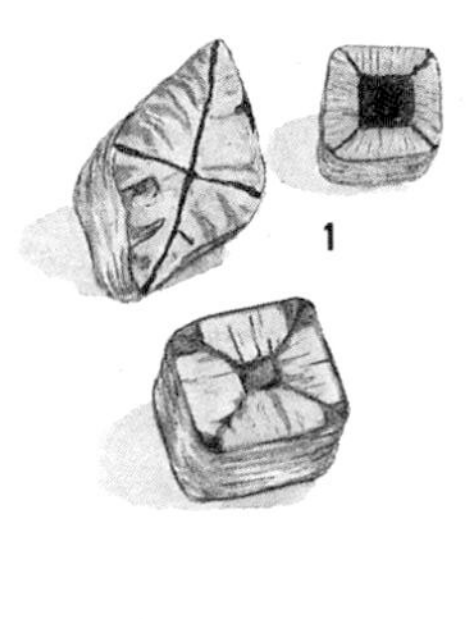

Blanche, grise, rose, brunâtre, vert olive. Forme granuleuse ou cristaux trapus de section presque carrée. La chiastolite **(1)** est faite de cristaux prismatiques à inclusions graphiques noires, en forme de cigares, implantés dans du schiste. Avec quartz, biotite, corindon, almandin, topaze et cordiérite.

Transparente à translucide. Éclat vitreux, terne quand elle est altérée. Deux bons clivages se coupant à 89° et 91°. Cassure irrégulière à subconchoïdale.

Dans pegmatites granitiques, avec quartz, microcline et muscovite; dans roches métamorphiques de contact avec corindon; dans schistes et gneiss avec almandin et cordiérite; dans gîtes hydrothermaux avec topaze et pyrophyllite. Cristaux: Andalousie. Chiastolite à Compostelle et aux Salles de Rohan (Morbihan).

Utilisations: pierre fine, céramique. Les pierres taillées sont vertes sur les côtés, rouges aux extrêmités. Se distingue de la **tourmaline** par sa section transversale carrée.

TOURMALINE

den. 3,2 dur. 7-7,5

Noire **(1)**, rose ou rouge (rubellite, **2**); brune, verte ou panachée, souvent zonée **(3)**. Cristaux en prismes longs ou courts à section pseudo-triangulaire, les deux extrêmités ayant des faces terminales différentes. En masses columnaires ou aciculaires rayonnantes avec spodumène et andalousite.

Transparente (pierre fine) à opaque. Friable. Non clivable. Couleur variant selon l'angle d'observation.

Dans les pegmatites granitiques, schistes et gîtes hydrothermaux. Cristaux rouges, bleus ou verts pour les variétés précieuses (la rubellite étant la plus prisée) associés à de grands cristaux zonés à San Piero, île d'Elbe (Italie). Cristaux noirs à Dartmoor (Angleterre); Spittal (Autriche) et Kragerö (Norvège).

Rapidement identifiable à ses prismes striés de section pseudo-triangulaire, non clivables. Plus dure que l'**apatite. Béryl** et **apatite** ne sont pas striés. Pierre semi-précieuse.

CORDIÉRITE

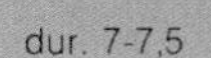

dur. 7-7,5 den. 2,6

Bleu pâle à sombre, violette, grise, brune ou noire. Sous forme granuleuse ou massive. Cristaux rares. Minéraux associés : andalousite, almandin, corindon, biotite. Elle s'altère très rapidement en chlorite ou muscovite.

Transparente à translucide. Éclat gras. Clivage imparfait. Friable. Cassure conchoïdale à irrégulière. Couleur variant du bleu au gris selon l'orientation des cristaux.

Habituellement associée à des roches métamorphiques riches en aluminium, comme les schistes, gneiss, cornéennes, mais se trouve aussi dans les roches volcaniques. Beaux cristaux à Bodenmais (Bavière); Oijärvi (Finlande); Haute-Loire.

Identifiable à sa couleur changeante. La variété bleu clair est parfois utilisée comme pierre fine.

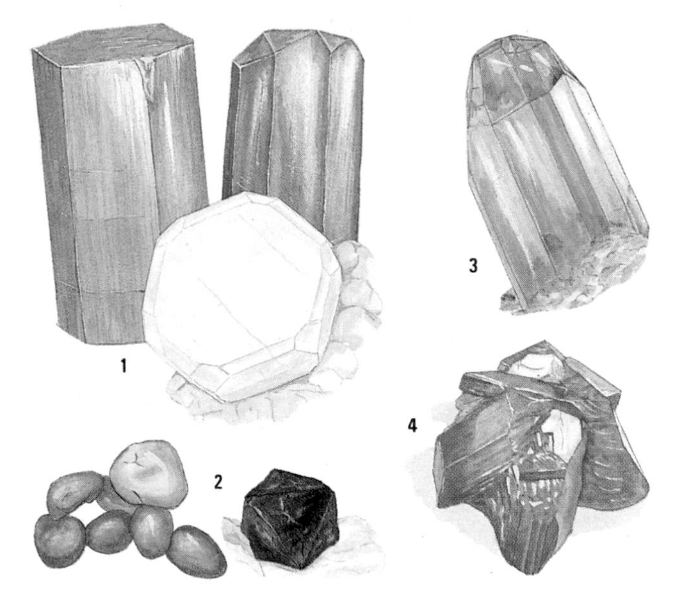

Béryl (1)
Émeraude, aigue-marine, gris, blanc ou jaune. Opaque, vitreux, léger. Prismes hexagonaux. Dans les pegmatites granitiques et veines hydrothermales. Île d'Elbe (Italie) ; Haute-Vienne, Bretagne. Principale source de béryllium.

Spinelle (2)
Souvent rouge, rose, blanc. Petits octaèdres opaques, vitreux, à clivage imparfait. Trace blanche. Macles courantes. Dans granulites et dolomies issues d'un métamorphisme de contact et roches ultrabasiques. Mte Somma, Vésuve (Italie).

Topaze (3)
Variable. Souvent jaune ou incolore. Cristaux prismatiques vitreux, translucides. Un seul bon clivage. Dans les veines hydrothermales et pegmatites granitiques sur l'île d'Elbe et en Sardaigne (Italie) ; Cornouailles (Angleterre).

Chrysobéryl (4)
Variable, souvent jaune miel, brun, incolore. Cristaux prismatiques translucides, adamantins, bien clivables. Macles pseudo-hexagonales. Dans les pegmatites ou micaschistes à Marsikov (Rép. tchèque) ; en Norvège.

CORINDON

dur. 9 den. 4,0

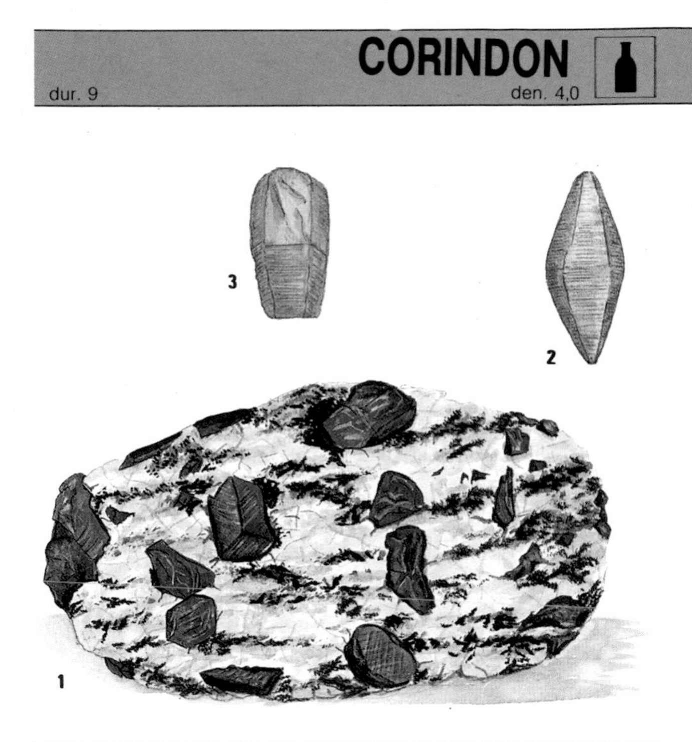

Rose, rouge (rubis, **1**), bleu (saphir, **2**), violet, brun **(3)**, gris, noir avec impuretés magnétiques (émeri). Cristaux en tablettes hexagonales ou prismes courts, grossiers, arrondis, en tonnelets. Parfois striés. Macles multiples courantes. Parfois sous forme massive ou granuleuse (émeri).

Transparent à translucide. Éclat gras. Non clivable. Séparation créant des stries. Friable, mais très dur et résistant. Cassure irrégulière à conchoïdale.

Se forme dans les syénites, pegmatites, roches métamorphiques. Se trouve dans graviers et sable. Le corindon gris de qualité inférieure se rencontre en divers endroits, à Vercelli et dans le Piémont en Italie. L'émeri est exploité à Naxos et Samos (Grèce) et Smyrne (Turquie). Cristaux en France, Norvège, Suède.

Identifiable à sa densité et sa dureté : seul le **diamant** est plus dur. Rubis et saphir sont des pierres précieuses très prisées. Inclusions en forme d'étoiles dans le saphir taillé.

DIAMANT

den. 3,5 dur. 10

Le plus dur des minéraux connus. Constitué de carbone pur comme le graphite, mais de structure atomique différente. Généralement incolore, mais aussi teinté de jaune, vert, brun, gris, vert, noir et bleu. Les cristaux sont souvent de petits octaèdres arrondis.

Transparent. Éclat adamantin avec forte dispersion de la lumière. Clivage parfait.

Se trouve in situ dans la kimberlite altérée, riche en olivine, en Afrique du Sud, Russie et Inde. Abonde dans les dépôts alluviaux (placers).

Les variétés précieuses incolores représentent moins d'un quart des diamants trouvés. Le diamant qui n'a pas qualité de pierre précieuse est utilisé comme abrasif supérieur.

MINÉRAUX ORGANIQUES

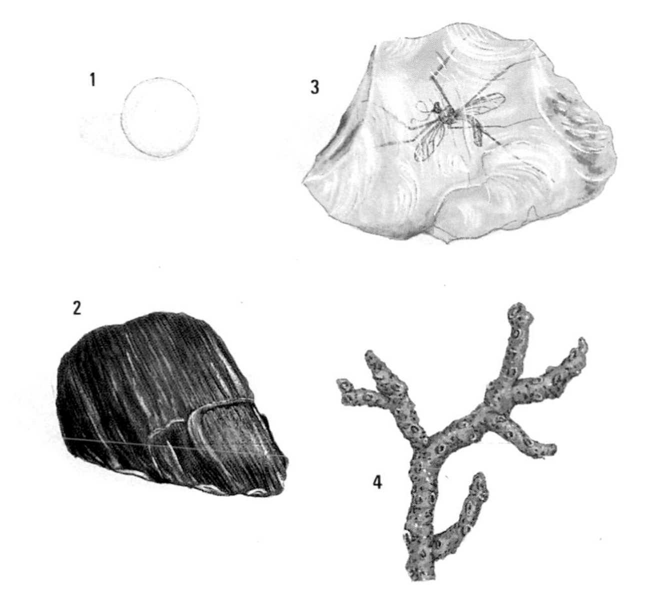

Perle fine (1)
Produite par des mollusques marins ou d'eau douce. Constituée surtout d'aragonite et de matière organique. Perles d'eau douce en Écosse. Perles marines dans la mer Rouge et le golfe Persique. Perles noires en Méditerranée.

Jais (2)
Bois fossile ayant la composition d'un charbon impur. Noir, vitreux, à cassure conchoïdale. Léger. Combustible. Dans l'Aude; dans les Asturies (Espagne) et à Whitby (Angleterre).

Ambre (3)
Résine fossile brune, jaune, blanche ou verte. Issue du *pinus succinifera* datant de l'ère Tertiaire. Se trouve dans l'Europe baltique.

Corail (4)
Minéral à base de carbonate de calcium produit par les squelettes de polypes coralliens. Couleur variable : rouge, rose, bleu ou blanc. Se trouve en Méditerranée.

Index

Cochez l'index au fur et à mesure de vos découvertes.

Abréviations utilisées

All.	Allemagne
Alpes occ.	Alpes occidentales
Angl.	Angleterre
Autr.	Autriche
Éc.	Écosse
Esp.	Espagne
It.	Italie
Norv.	Norvège
Pol.	Pologne
Port.	Portugal
Rép. tchèque	République tchèque
RU	Royaume-Uni
Suè.	Suède
Suis.	Suisse

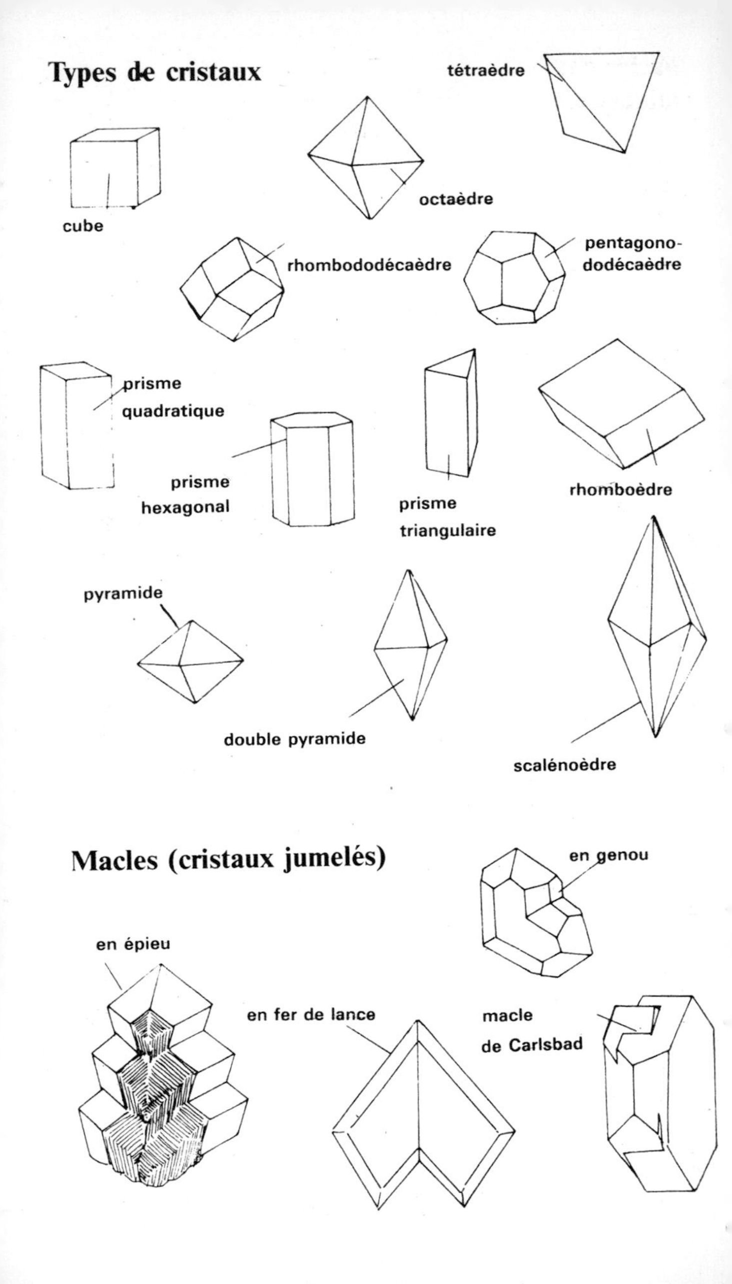
Types de cristaux
tétraèdre
cube
octaèdre
rhombododécaèdre
pentagono-
dodécaèdre
prisme
quadratique
prisme
hexagonal
prisme
triangulaire
rhomboèdre
pyramide
double pyramide
scalénoèdre
Macles (cristaux jumelés)
en genou
en épieu
en fer de lance
macle
de Carlsbad